하고 싶은 말이 있습니다.

하고 싶은 말이 있습니다.

강주완

임나린

하젤

김소현

백수빈

김소연

우리는 누구나 못다 한 말을 안고 살아갑니다. 말을 하고 싶어도 마음 편히 털어 둘 곳도, 들어줄 사람도 없어서 그저 마음속에 꼭 담아둔 채 살아갑니다. 그렇게 너무 오랜 시간이 지나서 누구에게 마음을 털어두는 법도 잊었습니다. 내가 무슨 말을 하고 싶었는지도 잊어버렸습니다.

직업, 나이, 성격 무엇 하나 닮은 곳을 찾기 어려운 저희가 한곳에 모여 서로의 이야기에 공감하고 마음을 나눌 수 있었던 건 오로지 글 덕분이었습니다. 6주라는 시간 동안 오랜 시간 마음속에 담아두기만 했던 말들을 한 줄 한 줄 글로 적어 내려가기 시작하며 '나'를 알아가는 시간을 가졌습니다. 그리고 그동안 무슨 말이 하고 싶었고, 나의 마음은 어땠는지. 아픈 곳은 없었는지, 아팠다면 이제는 잠시 쉬라고 말해줍니다.

글을 쓰며 저희가 느낀 모든 감정을 여러분들과 나누고 싶었습니다. 여섯 명 각자의 이야기를 담은 책이다 보니 글의 주제도, 글을 적은 방식 모두 다르기에 조금은 어우러지지 않게 느껴지실지도 모르겠습니다. 하지만 틀림이 아닌 다름으로, 조잡함이 아닌 다양함으로 받아들여 주시고 한 사람 한 사람의 이야기와 마음을 온전히 느껴주신다면 감사하겠습니다.

여러분들의 마음을 위로해 주는 공감, 그리고 그 공감에서 시작되는 따스함. 그것이 6주의 여정을 마친 저희의 작은 바람입니다. 오늘도 열심히 살아가느라 미처 돌보지 못한 여러분의 아픔과 힘듦을 우리는 알고 있다고, 우리도 그랬다고. 그러니 이 글을 읽는 동안만이라도 너무 외로워 말았으면 좋겠습니다.

조금은 서툴러 보일지 모르는 저희의 마음을 이곳에 두고 갑니다. 웃어도 좋고, 울어도 좋습니다. 원하는 만큼 편안한 마음으로 부담 없이 즐겨주세요. 저희의 이야기를 선택해 주어서 고맙습니다. 저희의 이야기에 귀 기울여 주어서 고맙습니다. 언젠가 당신의 이야기도 들려주세요. 기다리겠습니다.

- 공동저자 中 임나린

차 례

나는 매일 집으로 출근합니다
: 전투기 조종사 아빠의 육아 이야기

강주완

강주완　글을 쓰고 비행을 하고 두 아이를 키우고 있습니다. 하늘에서는 최고의 전투기 조종사가 되기를 꿈꿨고, 땅에서는 누구보다 함께하는 아빠가 되기를 바랍니다. 전투기 조종사로의 삶, 그리고 두 아이를 전담 육아한 시간은 저를 성장하게 했습니다. 내일의 새로운 비행을 준비하면서 나와 세상을 알아가는 글쓰기에 집중하는 중입니다.

이메일: juwankang121@gmail.com

프롤로그

나는 하늘로 출근한다,

그리고 또다시 집으로 출근한다.

페르소나, 본캐와 부캐, 그리고 N잡 시대. 사람들은 여러 가면과 모자를 쓰고 살아간다. 때로는 내가 원하는 나의 모습으로 때로는 남들이 원하는 나의 모습을 살아가기도 한다. 한때 부캐 놀이가 정말 유행했던 적이 있었다. 국민MC 유재석 님은 지금도 방영 중인 MBC 주말 예능 프로그램 '놀면 뭐하니'에서 트로트 가수로, 때로는 드러머로, 하프 연주도 했고 정말 많은 모습을 보여주었다. 나무위키에 검색해 보니 무려 21개에 이르는 부캐를 형성했다고 한다. 게임에서 내가 플레이하는 캐릭터를 주로 사용하는지, 보조로 사용하는지 여부에 따라 본 캐릭터(본캐)와 부 캐릭터(부캐)가 나뉜다. 우리는 모두 본캐와 부캐, 페르소나의 얼굴을 보인다.

나에게도 본캐와 부캐가 있다. 나의 본캐는 무엇일까? 본캐와 부캐가 혼재되어 있다 보니 무엇인 본캐이고 무엇이 부캐인지 헷갈린다. 다른 이들의 시선에서 바라본 나의 모습은 어떨까? 남들의 눈에 나의 본캐는 조종사이다. 정확히는 대한민국 공군 전투기 조종사였다. 15년간 대한민국의 하늘을 지키기 위해서 전투기를 비행했던 조종사였다. 그렇다면 내 부캐는 무엇일까? 나는 일하면서 육아하는 아빠였다. 아, 다들 육아는 하는구나. 이렇게 표현하면 '나도 나가서 일도 하고 퇴근하면 집에서 아이를 돌보는데' 라고 생각하시는 분들이 많을 텐데. 나의 상황을 어떤 문장으로 전달해야 할까? 내 아내는 서울에서 직장생활을 한다. 흔히들 얘기하는 9 to 6 근무가 아닌 항공사 승무원이다. 그리고 나와 아이들은 충청북도 청주의 공군부대에서 지낸다. 아내는 비행이 없이 쉬는 날이면 청주로 와서 함께 생활한다. 하지만 그렇지 않은 날이 더 많은 것 같다. 1주일로 보자면 한 아내가 있는 날은 평균적으로 2일정도가 되는 것 같다. 아이들은 내가 지방에서 주로 입히고, 먹이고, 재우고 그리고 나는 비행을 한다. 이렇게 사는 조종사가 많은지는 아직은 잘 모르겠다. 하지만 주변에서 나를 보는 시선들은 신기한 눈빛이었다. "선배, 어떻게 애들을 혼자 보고 계세요?" "형수님 언제까지 일하세요? 일 그만 안두세요?" 내가 살아가는 이야기를 아는 사람들은 나에게 자주 묻고는 한다. "글쎄, 그냥 하는 거지 뭐. 그런 생각을 할 여유가 없어. 그냥 하면 돼" 나는 대수롭지 않게 이야기한다. 어떻게 할지를 고민할 사이에 그냥 하는 것이 더욱 쉬워진 나의 일상. 어느새 벌써 만 3년차 전담육아 조종사 생활에 저물었다. 문득 이런 생활이 남들에게는 신기하게 보일 수 있겠구나 생각이

들었고 나의 이야기를 전달하고 싶었다. 그리고 아이들에게 전달하고 싶다. 너희 엄마아빠가 이렇게 고생고생해서 너희들을 힘겹게 키웠었다고 먼 훗날 아이들이 자라면 이야기하고 싶다.

1. 흔한 아침의 일상

아침에 일어나면 아이들보다 먼저 눈을 떠야 한다. 아직 두 아들들은 잠을 자고 있다. 내 아이폰을 열어서 시간을 확인한다. 아침 6시, 이른 시간이지만 늦지는 않았다. 잠자리에서 일어나서 먼저 내가 하는 일은 아이들의 아침밥을 준비하는 일이다. 눈도 제대로 씻지 못한 채로 쌀을 정성스레 씻고 밥통에 밥을 올리면 30분은 걸린다. 밥 익는 냄새가 거실에 솔솔 나고, "쿠욱"하는 증기배출 소리와 밥솥에서 밥이 다 지어졌다는 소리가 난다. 갓 지어진 밥은 그냥 먹어도 맛있지만 아이들에게 그래도 맨밥 만을 줄 수는 없지 않나? 그렇다고 아침부터 화려한 반찬을 준비한 것도 아니다. 기껏해야 계란 후라이와 간장에 밥을 비벼서 주거나 간단히 먹을 수 있는 김밥을 준비한다. 일하는 아빠로 아이들에게 밥을 잘 차려주지 못하는 것이 매번 미안하지만 어린이집에 가기 전에 조금이라도 먹이고 보내고 싶은 것이 또한 부모의 마음이다.

밥을 준비하고 나 역시 출근 준비를 서두른다. 아이들을 어린이집에 보내고 8시까지는 출근을 하려면 서둘러야 하기 때문이다. 7시 정각, 이제는 아이들을 깨워야 한다. 7시 40분에는 집에서 나가야 하기 때문이다. 그래야 내가 아이들을 어린이집에 등원시키고 지각하지 않을 수 있기 때문이다. "민재야, 민준아 일어날 시간이야." 아이들은 눈을 제대로 뜨지도 못한 채로 거실로 나와 소파에 눕는다. "아빠, 눈이 너무 부셔. 불 꺼줘" 거실의 불빛은 이제 일어난 아이들에게 아직 너무 밝다. 아이들에게는 이를 수 있는 7시지만 지각하지 않으려면 지금 일어나야 한다. 아직은 어린 6살, 4살 아이들에게는 버거울 텐데. 안타깝고 미안하지만 현실은 미안할 틈이 없다. TV를 키고 EBS방송 채널로 돌리고 아이들의 시선을 집중시킨다. 어린시절 일요일 아침, TV를 틀면 나오는 디즈니 만화동산을 반드시 시청해야 했던 것처럼 우리 애들은 일어나면 EBS 만화를 시청한다. 그리고는 아이들에게 준비한 아침밥을 서둘러 먹인다. 아이들도 잠에서 깨어난 지 얼마 지나지 않아서 눈도 제대로 뜨지도 못하고 식욕도 없는 상태다. 그래도 준비한 김밥이나 간장 비빔밥을 조금씩 먹인다. 밥이 입으로 들어가는지 제대로 씹어서 삼키는지도 잘 모르겠다. '밥 먹어야지. 20번씩 큰 이빨로 씹으세요. 이제 곧 나가야 돼요' 라는 말을 수십 번도 반복하지만 시간은 흘러가고 그릇의 밥은 줄어들 기미가 보이지 않는다.

7시 30분, 이제는 밥 먹일 시간도 부족하다. 서둘러서 아이들 옷을 입히고 세수를 시키고 이를 닦이고, 자 이제 밖으로 나가자. 그래도 아이들은 밖에 나간다고 하면 신이 난다. 남자 애들이라 그런지 밖에만 나가자고 하면 자다가 벌떡 일어날 정도로 힘이 넘친다. 자기가 먼저 나가겠다고 신발도 제대로 신지도 않은 채로 문 앞에서 다투곤 한다. 아이들은 항상 신나게 문을 박차고 2층 계단을 뛰어서 내려간다. 어린이 집까지는 대충 거리를 재 보아도 200m가 채 되지 않는다. '유품아', '초품아' 라는 단어는 아파트 단지 내에 유치원이나 초등학교가 있는 경우를 지칭하는 단어이다. 요즘 애들 등원하는 일이 만만치 않기 때문에 아파트 단지 내에 초등학교가 있는 경우 인기가 많다고 한다. 우리가 사는 관사 아파트도 속칭 '유품아' 라고 할 수 있다. 단지 내에 어린이집이 있어서 걸어가도 5분이면 충분하다. 하지만 아이들이 어떻게 갈지에 따라서 5분만에 갈수도 10분이 걸릴 수도 있다. 우선 가장 먼저 어떤 등원 수단을 선택하는지 문제이다. 오늘은 아이들이 킥보드를 타고 가기로 했다. 걸어 가는 것보다는 나쁘지 않은 선택이다. 어린이집까지 누가 빨리 갈지 시합하자고 유도하면 둘이서 신나게 땅을 박차고 킥보드를 굴린다. 7시 45분, 아직 다른 집 아이들은 거의 보이지 않는 이른 시간이지만 우리 아이들은 신나게 킥보드를 타고 바람을 가르며 어린이집으로 출근한다. 중간에 있는 놀이터는 두 번째 시험대이다. 둘째가 그네라도 타고 가자고 하는 날이면 내가 발을 동동 굴려야 한다. 내가 지각하지 않을까 걱정이 앞선다.

간신히 어린이집에 도착하면 아이들의 신발은 거의 보이지 않는다. 8시 전에 어린이집에 등원하는 가정은 맞벌이 부부인 경우가 대부분이지만 그래도 8시 조금 넘어서야 아이들이 많이 오기 시작한다. 어쩌다 둘째 아이가 어린이집을 안 가겠다고 떼를 쓰는 날이면 어린이집 앞에서 온갖 회유와 협박의 거래를 진행한다. '오늘 끝나면 맛있는 간식 사준다, 집에 가서 혼난다' 등 여러 회유와 협박을 하지만 안 통하는 날이 있다. 어린이집 앞에서 힘겹게 아이와 실랑이를 벌이고 있으면 나의 구세주가 등장하신다. 나의 히어로 어린이집 선생님의 등장. 어린이집 선생님들은 아이들에게 다정함과 카리스마 모두를 보유한 나에게는 슈퍼 히어로나 다름없다. 어느 날은 아이의 눈높이에서 다정하게 아이의 마음을 보듬어서 어린이집 안으로 데려가시고 어느 날은 번쩍 들어서 데려가시기도 한다. 오늘도 무사히 등원은 세이프이다.

7시 50분에서 55분. 이제 나도 내 일, 조종사로서 본업을 할 시간이다. 집을 나설 때부터 녹색 원피스 조종복을 입고 있었지만 마인드는 아빠였다. 몸은 그대로이지만 이제 마음만은 창공을 지배하는 전투 조종사로서 오늘 나에게 주어진 임무를 어떻게 완수할지 고민해야 한다. 정신없어 보이는 아침 시간, 조금만 더 아이들이 나를 도와줬다면 여유롭게 시작할 수 있겠지만 우리의 일상은 항상 분주하다. 때로 밥도 안 먹고 그냥 옷만 입혀서 나가는 날도 있고 그렇다. 그날그날 조금씩 차이가 있지만 하루의 아침을 이렇게 보내곤 했다. 아내가 출근하고 집에 없는 날, 전담 육아 조종사 아빠의 아침의 모습이다.

2. 코로나19와 아내의 복직

아내는 국내 항공사의 현직 승무원으로 재직 중이다. 아내는 미주나 유럽노선 등 10시간이 넘는 장거리 비행 중 여유가 있을 때나 현지에서 체류(Layover, 레이오버)할 때 동료 승무원들과 이런 저런 이야기를 나눈다고 한다. 아무래도 여성의 비율이 절대적으로 많은 여초 직종이다 보니 결혼, 육아 등에 대한 이야기가 주를 이룬다고 한다. 서로 어디에 사는지, 결혼은 했고 애들은 몇 살인지 이런저런 이야기를 나누다가 '청주에 산다, 아이는 남편이 돌본다'는 아내의 이야기를 들을 때면 종종 놀라는 경우가 많다고 한다.

"아니, 그렇게 멀리서 어떻게 서울로 출퇴근을 해요? 애들은 누가 보고 있어요? 친정어머니나 시어머니 찬스?" "남편이 청주에서 일하면서 애들 보고 있어요."

"남편이 애들을 혼자 봐요? 남편이 뭐하시는 분인데 혼자 애들 보면서 일을 해?"

"남편은 군인이요."

이런 이야기를 하다 보면 새삼 우리 둘 부부를 사람들은 애처롭게 보기도 대단하게 보기도 한다고 하는데 우리는 언제부터 이렇게 살았을까? 코로나19 팬데믹을 기점으로 우리는 '전담 육아 전투 조종사와 일하는 승무원 부부'로 살게 되었다.

코로나 19 팬데믹은 인류의 삶의 모습을 그 전과 비교해서 엄청나게 변화시켰다. 2020년 중국 우한에서 시작한 코로나바이러스 전염병은 우리 가족만이 아니라 전세계 모두의 일상을 바꾸어 버렸다. 아내는 둘째 아이를 출산하고 육아휴직 중이었다. 아내는 어린이집에 가지 못하는 첫째와 이제 갓 태어난 둘째 아이 둘을 헌신적으로 키웠다. 코로나19 팬데믹으로 해외여행은 줄어들었고 여행업도 중단되었다. 덕분에 아내의 회사는 무급, 유급 휴직이라는 방식으로 휴직기간이 평소보다 길어졌고 아내의 복직은 지연되었다.

길었던 사회적 거리두기의 고통의 시간속에서 백신이 등장하고 조금씩 일상이 풀리기 시작한다. 몇차례 유행의 재발이 있었지만 길어진 거리두기 속에서 사람들의 일상생활 회복에 대한 열망을 더 이상 막을 수는 없었다. 여행도 마찬가지로 그동안 막혔던 해외여행에 대한 보복 수요가 폭발했다. 항공사, 여행사들은 앞다투어 여행상품을 만들어 내고 있었고 점점 공항도 활기를 되찾아 갔다.

아내의 둘째아이 육아휴직이 끝날 무렵 회사 복직을 앞두고 우리 가정은 앞으로 어떻게 살아야 할지 중요한 결정을 해야 했다. 아내의 복직과 관련해서 앞으로의 육아는 어떻게 하고 주말 부부를 어떻게 할 것인지 결정해야 했다. 그리고 나는 일하면서 육아하는 아빠, '워킹대디'의 길을 선택했다.

3. 나는 전담 육아 전투기 조종사 아빠입니다

전담육아 전투기 조종사 아빠, 내 스스로 나를 정의한 표현이다. 대한민국에 나와 비슷한 계급(대위, 소령)의 조종사는 대략 2,000명 정도 될까? 요즘 젊은 청년들이 결혼과 출산을 미루지만 경험을 짐작해본다면 남성 조종사 중 절반은 결혼을 했고 아빠일 것이다. 그중 본인이 주 양육자인 전투기 조종사는 얼마나 될까? 구체적인 통계수치는 없지만 우리 부대에는 나 혼자인 것 같다. 배우자의 맞벌이가 늘면서 나와 같은 동료들이 조금씩 늘고 있다는 소문을 들었지만 여전히 그 숫자는 극히 드물다.

아내가 복직하기 전, 우리 부부에게는 크게 세가지 선택지가 있었다. 먼저 서울에 있는 처가로 아내와 아이들을 보내고 처가의 도움을 받으면서 아내가 일과 육아를 하는 방법, 남편인 내가 주말에만 서울로 이동하는 가족 형태이다. 전문적으로 '남편 외유형' 주말 부부라고 한다. 아니면 반대로 청주에서 내가 일하면서 육아를 하고 아내가 시간이 날때마다 가정으로 돌아오는 '아내 외유형' 주말부부 방법이 있었고 마지막으로 아내가 일을 관두고 전업 주부를 하는 방법이 있었다. 물론 내가 육아 휴직하는 방법이 있었지만 이는 일시적인 방편이라 제외되었고 군인인 나의 퇴사, 즉 제대는 의무 복무기간이라는 제한이 있어서 불가능한 방법이었다. 주어진 선택지는 각각 장점과 단점이 있었고 세부적으로 어떤 미래가 우리에게 다가올지는 쉽게 머릿속에 그려지지 않았다. 그 당시 우리는 어떤 부분을 중점적으로 고민했고 어떤 결정을 하게 되었을까?

그 당시 내가 중요하게 생각한 가치는 크게 두 가지였다. 먼저 조금 힘들더라도 아이들이 어린 시절에 주 양육자인 나와 아내가 우리의 공간에서 키우자는 점, 그리고 아내의 커리어를 유지해주자는 두 가지에 집중하고자 했다. 아이들을 할머니들이 돌봐 주시는 경우가 주변에 많다. '황혼 육아' 라 표현하는데 엄마, 아빠들의 맞벌이가 늘어나고 있고 아이들 양육문제를 지원하기 위해서 할머니 할아버지들이 육아를 도와준다. 돌봄 서비스가 있기는 하지만 아무래도 가족들의 지원을 받는 것을 선호하기 때문이다. 우리도 맞벌이를 하면서 육아와 관련해서 많은 도움을 양가의 부모님께 받고 있었다. 아내와 내가 피치못할 사정으로 아이들을 돌보지 못할 때면 양가 부모님께 애들을 맡기고 일을 하기도 했다. 실제로 첫째 아들을 낳고나서 아내가 복직을 했을 때는 돌이 된 아이를 장인 장모님이 주 보호자로 6개월 정도 봐주시기도 했다. 이번에도 다시 할머니 찬스를 쓸 것인가 고민을 했다. 할머니와 함께 지내는 것이 애들에게 좋은 점도 있지만 포기해야 하는 점도 있다. 어린 시절 엄마와 아빠라는 부모와의 시간을 많이 못 보낸다는 점, 그리고 애들의 생활 공간이 부족하다는 점이다. 아무래도 할머니 할아버지 집은 어르신들의 공간이고 어르신들의 삶이 배어 있다. 그곳에 아이들의 물리적인 아이들의 생활 공간을 만들기도 죄송하다. 이제는 뛰어다니는 자유분방한 아이들이 차지하고 어지럽힐 공간의 크기는 점점 늘어날 것인데 말이다. 비록 방법이 어떨지 몰라도 관사에서 아이들이 지낸다면 자신들의 아지트를 유지할 수 있고 둘이서 신나게 놀 것이라고 생각했다. 초등학교 고학년이 되면 부모보다 친구들을 찾겠지만 어린 시절은 부모와 함께 하는 시간이 중요하지 않은가? 게다가 여행업이 코로나 이전 수준으로 회복되지 않아 아내는 계속 일하지 않았다. 유급, 무급 휴직이 자주 돌아오고 아내가 같이 있는 시간이 충분할 것이라는 점도 내가 전담육아 하는 결정에 도움이 됐다. 관사는 비록 군 부대이고 도시와 떨어져 있지만 아이들 키우기에 안전하고 시골같이 정겨운 분위기가 조성되어 있어서 아이들이 잘 생활해 갈 것도 기대했다.

임신, 출산, 육아와 여성의 커리어는 정말 하나를 포기해야 하는 양자택일의 문제일까? 클라우디아 골딘 미국 하버드대학교 교수는 여성과 남성의 성별임금격차(Gender wage gap), 여성의 육아와 커리어 문제에 대해서 연구했고, 그 연구 성과를 인정받아서 23년 노벨경제학상을 받았다. 저서 '커리어 그리고 가정(Career and Family)'에서 왜 같은 직종에 일하는 남성이 여성에 비해 임금을 더 받는지, 여성은 커리어와 가정 사이에서 어떤 선택을 하는지 설명한다.

동일한 시기에 일을 시작한 남녀가 있다고 상상해 보자. 어느 직종이든 커리어 초반에는 둘의 임금 차이가 크지 않다. 하지만 임신, 출산, 육아라는 여성의 생애 주기 변화가 찾아오면 육아를 위한 유연한 근무 형태로 전환하면서 커리어를 유지하려고 한다. 늦은 야근, 출장 등 집을 오래 비워야 하는 일은 아이를 키워야 하는 엄마들에게 부담이다. 상대적으로 남성은 보다 잦은 연장 근무, 출장 등 회사나 자신에 일에 보다 더 열정을 쏟고 성과를 만든다. 맞벌이를 하는 부부의 경우 남성이 보다 일에 집중하고 여성은 보다 가정에 집중하는 형태로 부부의 일과 가정의 밸런스를 조정한다. 왜 남성이 더 일에 집중하고 여성이 더 가정에 집중하는지는 과거로부터 이어진 사회적 유산이다. 그 이유를 밝히기에는 더 많은 연구가 필요하다. 물론 출산과 육아를 내려놓고 커리어에만 집중하는 여성들도 우리 주변에 보인다.

'경단녀', 경력이 단절된 여성을 지칭하는 표현인데 육아로 인한 전업주부의 길을 선택한 사람을 말한다. 출산과 육아는 산모와 아이에게 필수적으로 휴식기간을 부여해야 한다. 아이들도 엄마 뱃속에서 10개월을 같이 지냈고 태어나서도 부모의 손길을 꾸준히 필요로 한다. 엄마들도 출산 직후의 뼈가 부스러지는 해산의 신체적 고통을 회복할 시간이 필요하다. 이 시간은 아이와 함께 해야 할 소중한 순간이다. 하지만 곧 다시 자신의 커리어 유지를 위해서 복직을 해야 한다. 오랜 육아휴직은 직장에서 자신의 경력을 쌓지 못하는 저해요소로 작용한다. 태어난 아이와 함께 살을 부대끼며 안아 줘야 할 시간이지만 그렇다고 커리어를 쉽게 포기할 수는 없다. 지금 경력이 단절되면 언제 다시 이어갈지 모른다는 불확실한 상황은 여성들을 두렵게 한다.

일은 돈을 벌기 위해서만 하는 것도 아니고 집에서 육아와 가사노동만 하다 보면 사람이 지치게 된다. 육아의 가치를 폄훼하는 것이 아니라 일의 가치를 긍정적으로 평가하는 것이다. '나'라는 정체성을 잃어버리고 누군가의 '엄마, 아빠'라는 정체성만 갖는다면 내 삶의 가치는 무엇일까? 내가 내 일을 하고 내 커리어가 중요하듯이 아내에게도 아내의 일과 커리어를 유지하는 것은 중요하다. 결혼할 때를 생각해

보자. 양가의 부모님과 결혼할 커플이 만나서 인사를 하는 상견례에서 부모님들은 자기 아들, 자기 딸이 그동안 얼마나 힘들게 노력해서 공부하고, 얼마나 고생해서 지금의 자리까지 올라왔는지 자랑하시느라 시간이 다 간다. 그렇게 힘들게 성취한 현재의 일인데, 결혼과 출산으로 포기해야 한다면 내가 아내에게 너무 큰 짐을 지우는 것은 아닌가 하는 생각이 든다. 아내의 커리어를 유지하기 위해서도 내가 전담 육아를 하는 것이 맞았다.

결론은 우리는 청주에서 내가 전담으로 육아를 하고 아내는 서울로 출근해서 비행을 하고 쉬는 날이면 다시 같이 지내기로 결정했다. 21년 5월, 나의 전담 육아 전투기 조종사의 생활이 시작되고 그때부터 정신없이 살아왔다. 낮에는 조종사로서 비행을 하고 아침과 저녁에는 아이들을 돌보고 혼자서 모든 일을 하기는 어려웠다. 청소나 집 정리, 저녁 시간의 비행준비나 회식 등 포기할 것은 깔끔하게 포기했지만 그래도 심리적으로 육체적으로 고달픈 생활이다. 한때는 최고의 전투기 조종사를 꿈꾸던 시절도 있는데 포기해야 하는 가치는 상상했던 것 이상이었다. 나는 완벽한 전담 육아 아빠도 완벽한 전투 조종사도 아닌 열심히는 하지만 애매한 사람이 되었다. 이런 나의 선택을 부대에서 존중해 줄 가능성은 높지 않았고 나도 부대에 피해를 주지 않는 선에서 알아서 해결해 보려고 노력했다. 부대에 개인적인 사생활, 가족관계를 설명해서 도움을 받고 싶지 않았고 그냥 스스로 해결하고 싶었다. 물론 내 기대는 물거품처럼 사라졌다. 주변의 시선은 나를 남들과는 다른 조종사로 보는 것만 같았다. '정말 내가 얼마나 더 앞으로

할 수 있을까, 아내에게 퇴사하라고 할까' 이런 고민이 없었다면 거짓
말일 것이다. 대부분의 여성들이 겪는 육아와 커리어 유지 사이의 갈
등을 나는 전담 육아 조종사로서 겪어갔다 다행히 나의 이런 사정을
이해해 주신 부서장께서 조금 여유가 있는 보직으로 이동하게 해 주
셨다. 그 외에도 양가 부모님의 도움, 돌봄 서비스를 이용한 도움은 내
가 일을 하면서 전담 육아를 할 수 있는 기반이 되었다. 이제야 전담
육아로 정신없는 일과 가정, 삶의 밸런스를 찾아가고 조금은 수월하
게 나아갈 수 있었다.

4. 요즘아빠들의 육아 : 나는 집으로 출근합니다

'트렌드 코리아' 책 시리즈는 매년 대한민국의 트렌드 10가지를 예측해서 키워드를 제시한다. 예측은 예측일 뿐이지만 미래를 미리 대비할 수 있다는 장점이 있어서 매년 책을 구해서 일독을 한다. 2024년 청룡의 해를 맞이하여 '트렌드 코리아 2024'는 어떤 메시지를 전달할까 기대했다. 유독 눈에 끌리는 챕터 제목이 있었다. '요즘남편 없던아빠' 챕터를 읽자마자 머리가 아닌 가슴으로 '이것은 내 이야기구나' 하는 생각이었다. 요즘 아빠들의 육아생활은 어떨까?

아침에 눈을 뜨는 순간부터 어린이집 등원과 출근이라는 전쟁은 시작된다. 나에게 30분만 더 시간을 주었으면 하는 바람이 너무나도 많았다. 우리 부대는 8시에 일과를 시작했고 8시를 맞추기는 정말 힘들었다. 정말 진지하게 아침에 육아시간을 사용하거나 출근을 늦추는 탄력근무를 신청할까 고민하기도 했었다. 나를 위해서가 아니라 아이들을 위해서 고민했다. 7시에 잠에서 깨어나서 8시까지 어린이집 등원하는 것은 아이들에게 너무 무리한 일정이 아닐까 걱정했다. 천천히 잠자리에서 일어나서 여유롭게 아침 식사하는 아이들의 모습을 상상했다. 하지만 나는 출근 시간을 조정하지는 않았다. 내가 일찍 출근하지 않으면 늦게 퇴근할 것이고 아침의 바쁜 일상은 저녁의 퇴근시간으로 옮겨갈 것이기 때문이다. 나에게 좋은 해결책은 아니었다. 그것보다 내 개인의 사생활을 핑계로 부대 생활에 영향을 미치고 싶지 않았다. 다른 조종사처럼 똑같이 일과 비행에 집중하지는 못해도 적어도 정시 출근은 하겠다는 나만의 다짐이라고 할까? 아이들에게 미안하지만 8시 출근을 위해서는 8시 이전에 어린이집 등원을 해야만 했다. 물론 아내가 집에 있는 날이면 아이들은 모처럼 휴가를 받은 것처럼 늦잠을 자고 9시가 넘어서 등원할 수 있었다.

바쁜 업무가 없다면 정시에 칼 같은 퇴근을 하지만 요즘 아빠들에게는 새로운 출근이 기다리고 있다. 직장에서의 퇴근 시간은 집으로 육아 출근 시간을 의미한다. 퇴근 후 대부분의 시간을 아이들과 놀이터나 관사 도서관에서 보내곤 했다. 군인 남편들의 퇴근시간 놀이터는 관사의 만남의 광장이다. 남편들을 기다리며 소소한 이야기를 나누는 아내들과 놀이터에서 소리 지르며 뛰어노는 아이들의 모습. 여름이면 길어진 해로 더 많은 시간을 밖에서 보내곤 했지만 겨울에는 짧은 해와 추워진 날씨로 밖에서 시간을 많이 보내지 못했다. 아이들이 더 열심히 뛰어놀아야 저녁에 씻고 일찍 잘 수 있는데 말이다.

놀이터에서 누구 보다도 많은 시간을 보냈고 그러다 보니 자연스레 다른 집 엄마들과 이야기 나눌 시간이 많아졌다. 친한 군인 가족분들은 나를 '아주머니'라고 부른다. 공군의 문화인지 결혼하신 아내 분들을 '아주머니'라고 부른다. 언제부터 그리고 왜 '아주머니'라는 표현을 사용했는지는 잘 모르겠지만 대부분의 공군은 친한 경우를 제외하고는 '아주머니'라는 호칭을 사용한다. 마치 군대에 온 병사들끼리 서로를 '아저씨'라고 호칭하는 것과 비슷하다고 할까? 처음 '아주머니'라는 호칭을 들은 나이가 젊은 아내분들은 기겁했다는 이야기가 많다. '내가 이렇게 젊고 예쁜 아가씨인데 결혼했다고 아줌마라니' 하는 자괴감도 들었을 것이다.

내가 주 양육자로 육아를 전담하고 놀이터에서 다른 아주머니들처럼 생활하다 보니 친한 아주머니들은 나를 '주완 아주머니'라고 부르기도 한다. 처음에는 '내가 무슨 아주머니야'는 라는 이상한 감정도 들었지만 싫지는 않았다. 저녁 준비 이야기, 아이들 교육 이야기, 남편 이야기와 같은 소소한 수다 등, 그들의 삶을 공감했다. 출근해서는 조종사들과 동질감을 느끼고 퇴근해서는 조종사들의 아내, 아주머니들과 동질감을 느끼는 그런 이중적인 마음이라고 할까? 아내들은 남편들을 기다리고 있었고, 오늘도 아빠들은 집으로 출근하는 중이다.

5. 혼자는 힘든 주부의 독박육아

'주부'라는 단어가 과거에는 여성을 뜻하는 부(婦)자를 사용했다가 최근에는 남성 주부를 표현할 경우 지아비를 뜻하는 부(夫)자로 표현한다. 영어로는 housewife 라는 여성적인 표현에서 housemaker라는 중립적인 표현으로 바뀌어 간다. 그리고 나는 독박육아를 하는 전업 주부(夫)였다.

내가 육아에서 겪는 가장 힘든 점은 일과 육아 사이의 균형도 있지만 아내의 부재로 인한 보호자와 아이 비율의 불균형에서 비롯된다. 아이를 키우는 엄마들도 마찬가지 일 것이다. 늦게 퇴근하는 남편들로 독박 육아를 해야 하기 때문에 힘든 것이다. 아이들 한 명당 한 명의 보호자의 비율이 맞을 때 무언가 수월하게 진행할 수 있다. 나는 두 명의 아이를 수월하게 돌볼 보호자 한 명이 더 절실히 필요하고 그게 아내였으면 하는 바람이다. 공군에서는 전투기끼리 상호 교전상황 시 흔히 'Force Ratio'라는 용어를 사용한다. 쉽게 설명하자면 적군과 아군의 숫자 비율이라고 할까? 우리 전투기는 지금 몇 대인데 적 전투기 몇 대를 상대할 수 있을지 비율을 수치로 표현한다. 나의 능력으로는 육아의 'Force Ratio'는 1:1 인데 우리집은 구조적으로 1:2이다. 이미 시작부터 나는 지고 시작하는 것이다. 그리고 이 문제는 아이들을 씻기거나 공부시킬 때 특히 힘들다.

집에 들어온 이후 정말 바쁜 시간들의 연속이다. 저녁 식사를 준비하는 동안 아이들은 TV를 보게 하고, 밥도 먹여야 한다. 요리를 잘 못하는 조종사 아빠의 주된 메뉴는 국과 볶음밥이다. 된장국, 미역국 등을 끓이고 간단한 반찬 몇가지로 아이들을 먹인다. 덕분에 여전히 요리를 잘하는 것은 아니지만 간단한 식사준비는 금방 하는 편이다. 육아 레벨이 올랐다고 해야 할까?

　그래도 역시 요리보다 훨씬 힘든 일은 밥 먹이는 일이다. 첫째 아들은 이제 좀 알아서 잘 먹는 편이지만 둘째 아들은 아직도 식사 시간에 집중을 잘 못한다. 어린이 집에서도 이렇게 잘 안 먹나 싶어서 선생님들께 여쭤보면 "아니요! 어린이 집에서는 너무 잘 먹어요. 말도 잘 듣고 모범생입니다." 라는 선생님의 말씀이 거짓말이 아닐까 얼마나 의심했는지 모른다. "밥 먹어라"라는 표현을 정말 하루에 100번은 넘게 하는 것 같다. 하원을 늦게 하는 맞벌이 부부들을 위해서 어린이 집에서 저녁 식사를 해결할 수도 있다. 한때는 저녁 식사 준비도 힘들고 아이들 밥 먹이는 일이 너무 힘에 부쳐서 그렇게 많이 했었다. 어린이 집 저녁 식사도 매일매일 다른 메뉴로 아이들 영양을 고려해서 준비해 주신다. 5시 부근에 비교적 일찍 식사를 하고 식사량이 집에서 먹는 저녁 끼니보다는 적어서 선생님은 꼭 집에서 가셔서 저녁을 챙겨 먹어야 한다고 당부하시지만 그렇게 되지 않는다. 아이들은 저녁을 먹고 왔다는 핑계로 집에서 또다른 저녁 식사를 먹으려 하지 않기 때문이다. 그러다 보니 집에서 간식만 먹게 되고 제대로 된 식사는 하지 않으니 아이들의 발달이 크게 문제가 되었다. 첫째 아이의 경우 또래에 비해서 전년보다 영유아 검진 수치가 낮게 나오고 샤워를 하고 나서 몸을 보더라도 뼈가 눈에 띄게 보여서 너무 미안했다. 내가 제대로 돌보지 않았고, 제대로 먹이지 않아서 이런 결과가 나온 것이다. 내가 조금 더 잘 챙겨서 먹였다면 이렇게 앙상하지는 않았을 텐데 말이다. 그 뒤론 웬만하면 힘들더라도 집에서 내가 보는 앞에서 저녁식사를 먹이려고 한다. 조금씩 늘어난 식사량과 나의 관심 덕분인지 모르지만 첫째 아이가 더 마르지는 않았다.

힘들었던 식사 시간을 마치면 이제는 아이들에게는 신나는 샤워시간이다. 우리집은 샤워할 때 주로 물감놀이, 색칠놀이를 한다. 욕조에 따뜻한 물을 받아 아이들을 집어넣으면 아이들은 물감과 샤워 젤, 샴푸 등으로 벽에다가 색칠을 하고 그림을 그린다. 이럴 때는 둘이라서 정말 다행이라고 생각한다. 아이 한 명만 있는 경우라면 혼자 놀아야 했을 텐데 둘이서 신나게 물 놀이하고 벽에다 알록달록 색칠을 한다. 아이 둘 낳는 걸 보기 힘든 세상인데 이유는 간단하다. 둘을 키우기가 너무 힘들기 때문이다.

그 사이 나는 빨리 식사 설거지와 집안 정리를 한다. 개인적으로 청소보다 설거지에 민감한 편이라 그릇이 싱크대에 쌓여 있으면 설거지를 먼저 한다. 하지만 혼자 육아하고 가사노동까지 하기는 버겁다. 그래서 나는 정리는 조금 포기한 편이다. 아이들이 어지럽힌 장난감과 집안을 치우고 치워도 왜 깨끗하다는 느낌이 들지 않을까? 정리의 기본은 비우기라고 하는데 아이들 키우면 집안은 이것 저것 물건들로 가득 채워져만 간다.

나는 아이들을 일찍 재우려고 하는 편이다. 다음날 아침 7시에는 아이들이 일어나서 어린이집 등원 준비를 하려면 늦어도 9시에는 모든 일을 마무리하고 이빨을 닦고 잠자리에 누워야 한다. 노래를 좋아하는 아이들과 함께 잠자리에 누워서 '뽀로로 자장가'나 '한국을 빛낸 100명의 위인들', 만화 '포켓몬스터' 주제가를 부르기도 하며 꿈나라로 간다. 노래 가사처럼 역사는 매일같이 흐르는 것 같다.

모두가 자는 이 시간, 이제 나만의 자유시간이 온다. 집에서는 일할 환경이 되지 못해 일 대신 책을 읽거나 글을 쓰거나 스마트폰을 뒤적거리는 등 개인 시간을 보낸다. 하루에 나만의 온전한 시간은 많지 않다. 나 역시 피곤한 나머지 아이들을 재우다가 같이 잠을 자는 경우가 많은 편이다. '애들을 재우다가 자버린다고' 이해 못하실 분들이 있겠지만 현실육아이고 공감하는 분들도 많을 것이다. 또는 육아하느라 개인의 여가시간, 공부시간 등을 확보하지 못해 힘들어 하는 분들도 계실 것이다. 잠을 줄이는 방법 외에는 딱히 시간확보가 어려운데 몸도 마음도 지치는데 잠까지 줄이기는 정말 힘들다.

물론 항상 이렇게만 지내지는 않았다. 아내가 1주일에 며칠씩 집에 같이 있는 날이면 육아는 훨씬 수월하고 나에게 약간의 자유가 허락된다. 아내가 집에 있을 때 나는 그동안 못했던 야간 비상대기 근무나 야간비행 등의 공식적인 업무를 수행하거나 다음 날 비행준비 또는 밀린 일을 마무리하려고 야근을 하기도 한다. 물론 미뤄두었던 회식이나 모임을 하기도 한다. 부서 회식이나 친한 조종사들과 간단한 식사와 음주를 하면서 나도 잠깐의 자유부인의 즐거움을 만끽한다. 아내는 당연히 이런 나를 못마땅해한다. 기껏 힘들게 관사에 왔건만 남편이라는 사람은 본인이 내려오면 다 넘기고 없어지니 말이다. "당신은 나만 오면 나가지?" 맞는 말이다. 나는 아내가 집에 와야만 밖에 나갈 수 있으니 말이다.

혼자 하는 육아가 너무 힘들기도 하고 조금의 여유를 찾고자 돌봄 서비스를 활용하기도 했다. 저녁시간에 2~3시간 돌봄 선생님이 오셔서 나의 육아와 가사 노동을 분담해 주셨다. 돌봄 선생님 덕분에 혼자서 육아하는 부담을 줄일 수 있었다. 말 그대로 독박 육아는 정말 힘들다. 정신적으로 육체적으로 모두 말이다.

아내가 육아 휴직 중일 때나 집에 있는 날이면 전업 주부의 삶에 대한 하소연을 한다. "내가 청소, 설거지, 빨래 등 집안 일을 아무리 잘해도 당신이 퇴근해서 집에 오면 잘했다고 칭찬을 하는 경우가 없어. 왜냐면 집안일은 아무리 잘해도 티가 안 나거든요." 그렇다. 가사 노동은 정말 피곤하고 힘들지만 남들이 잘 했는지 몰라준다. 그 노력의 과정이 눈에 보이지 않기 때문이다. 전업 주부라는 단어는 주로 가사 노동을 담당하는 사람을 지칭한다. 이 글을 쓰면서 나의 전담 육아의 삶을 주부에 빗대어 표현할 수 있나 고민했는데 이제는 당당히 나를 주부라고 지칭할 수 있겠다. 이 시간에도 열심히 육아하고 가사 노동하는 우리의 주부(婦, 夫)들에게 힘내라는 응원의 메시지를 보낸다.

6. 조종사, 군인 아내들의 희생과 헌신

　언젠가 기억나지 않지만 친한 조종사 가족들끼리 모임을 했을 때 이런 이야기가 나왔다. "아니 나는 그냥 하숙집 아주머니야. 아침에 일어나서 밥해줘, 애들 학교 보내, 저녁에 남편이라는 놈은 퇴근해서 집에 오면 밥만 먹고 저녁에 비행 준비한다고 또 출근해. 잘 때나 되야 집에 들어오고 이게 그냥 하숙집이지 집이냐?"

　조금 각색했지만 대략 이런 내용이었다. 조종사 남편의 장시간 근무 여건에 아내들은 지쳐가고 있다. 꼭 조종사 가족에게만 해당되는 것은 아니다. 다른 군인 가족들도 마찬가지이고, 일하는 남편을 둔 아내들이라면 한번쯤은 생각해 봤을 고민이다. 내 아내도 마찬가지로 내가 없을 때 나를 위해서 홀로 집에 남겨져 가사를 전담했고 언제 돌아올지 모르는 남편을 전전긍긍하면서 기다리곤 했다. 비행단 관사라는 외 딴 곳에 이 남자 한 명만 바라보고 같이 살아보겠다고 따라온 아내들은 때론 남편 없는 고독과 외로움, 그리고 독박육아의 고통에 시달린다. 전담 육아를 하면서 아주머니의 삶을 살았던 내가 군인, 조종사 아내의 삶을 감히 이해하지는 못하겠지만 그들의 삶을 드러내 보임으로 삶을 조명하고 조금이나마 위안을 주기를 바란다.

　결혼은 환상일까 현실일까? 결혼은 엄연한 현실이다. 눈에 하트가 일어날 정도로 사랑하고 잠시라도 떨어져 있으면 못 살 것 같은 커플도 결혼하면 현실에 눈을 뜬다. 물론 그렇지 않은 커플도 있겠지만 결혼이 가져오는 현실을 이야기하는 것이다. 서로 다른 배경과 환경에서 각자 살아온 두 명의 남녀가 갑자기 한 집에서 생활하게 되면 불편함과 어색함은 없을 수 없다. 서로를 조금씩 이해하며 이인삼각 경기처럼 발 맞춰가는 것이 결혼 생활이지 않을까 싶다. 주변을 보더라도 군인 가족, 특히 공군 조종사라는 직업, 부대 생활 등을 잘 알지 못하고 결혼하게 되는 경우가 종종 발생하고 배우자가 느끼는 어려움은 이루다 말하기 어렵다.

군인들은 직업 특성상 부대 인근에서 거주해야 하며 결혼을 하게 되면 부대 내에 관사라고 불리는 아파트에 살 수 있다. 육군이나 해군의 경우는 잘 모르지만 공군의 경우 조종사는 부대 내에 관사에 거주해야 한다. 결혼하고 처음 관사에 살게 되면 매일 사랑하는 부부가 서로 마주보고 살 줄 알았지만 이내 곧 현실에 눈을 떠야 한다. 잦은 비상대기와 근무, 훈련으로 실제로 집에서 같이 있는 시간이 얼마나 될까? 항상 '오늘도 어쩔 수 없다'는 변명으로 사과를 대신하지만 나를 믿고 결혼한 배우자에게 군인, 조종사들은 미안한 마음이다.

조종사들의 하루 생활은 비행 일정에 맞추어 살아가고 자신의 생활 패턴을 비행일정에 맞춘다. 아침 일찍 비행이 계획된 날이면 새벽같이 일어나 출근해야 하고 야간 비행이 있는 날이면 야간 비행이 종료된 이후 밤 늦게 퇴근한다. 물론 야간비행의 경우 조종사의 휴식 보장을 위해 아침 출근시간이 뒤로 미뤄진다. 대부분의 조종사는 비행 준비, 비행 브리핑, 비행 훈련, 비행 디브리핑이라는 일련의 사이클로 하루를 보내고 다음날 비행이 있는 경우 야간에 다시 출근하여 비행을 준비하곤 한다. 오늘 비행을 위해서 오늘 하루를 다 썼기 때문에 내

일 비행 준비를 위해서 야간에 준비하는 수밖에 없기 때문이다. 비행 실력이 향상되고 비행 자격이 올라가면 비행준비에 대한 부담은 덜하겠지만 이제는 비행 외적인 업무들도 처리해야 한다. 선배 조종사들은 후배 조종사들을 위한 교육에 집중해야 하고 또한 작전, 훈련계획 등을 업무를 담당한다.

그리고 군인, 조종사라면 빼 놓을 수 없는 당직근무, 야간 비상대기 근무는 아내를 독수공방하게 한다. 1주일에도 며칠씩은 비상대기실에서 24시간 밤샘 근무를 하고 다음날 아침에 퇴근한다. 남편이 없는 기나긴 저녁과 밤은 아이가 있는 아내들에게는 독박육아라는 거친 야생의 환경이다. 밤에 힘들게 아이를 재우고 아침에 일어나면 남편은 졸린 채로 집으로 퇴근한다. 물론 중요한 근무를 마치고 남편이 돌아왔지만 그것은 남편의 일이지 내 일은 아니다. 나도 집에서 아이들과 씨름한 건 마찬가지인데 졸면서 제대로 잠도 못 자고 밤을 샜다고 투정하는 남편에게 뭐라고 할 수도 없고 남편은 해가 중천에 걸릴 때까지 그냥 자버린다. 요즘은 다들 밤샘 근무하고 다음날 쉴 때면 아내와 영화관에서 영화를 보거나 예쁜 카페나 맛집에 가기도 한다. 하지만 예전에는 오후면 다음날 비행준비를 하거나 단체 축구를 하러 가야 한다고 다시 출근해버렸다. 이렇든 저렇든 조종사는 집에서 나가려고 하고 아내들은 남겨진다.

업무만으로도 바쁘지만 그 외에도 해야 할 일들이 많이 있다. 배우자들이 좋아하지 않는 군대의 회식. 요즘은 예전에 비해서 많이 달라졌다고 하지만 군 부대 특성상 회식은 빠지지 않는다. 야간 비행을 마치고 조촐히 모여서 맥주 한잔 가볍게 마시는 비어 콜(Beer Call), 부대에 새로운 조종사가 전입하거나 누군가가 부대를 떠나 전출하게 될 때, 비행 자격이 올라갈 때 등 다양한 상황에서 서로를 격려하는 회식을 많이 한다. 전쟁에서 같이 싸워야 하는 전우애를 다지고 의기투합하여 사기와 팀워크를 진작하는 행위라고 할까? 하여튼 군대에서 회식을 빼놓을 수는 없다.

남편이 자주 없다는 이유로만 힘든 것은 아니다. 아내들은 주로 군과는 전혀 관련이 없던 사람들이었고 결혼 후 부대에서 생활하면서 여러 어려움을 추가로 겪는다. 여러 어려움이 있겠지만 부대라는 환경 자체가 그들이 겪는 고통 중에 하나이다. 가족들도 군 부대 훈련을 하면 동참해야 하는 경우도 발생한다. 차량통행이 금지된 부대훈련 기간 중 차를 타고 이동했다가 가상 테러범으로 오해를 받아 제지당했다는 이야기, 아내가 기지 내 교통법규를 어겨서 남편이 대신 교육을 받았다는 이야기 등은 부대에서 흔한 이야기다.

우리 가족도 웃지 못할 슬픈 기억이 있다. 코로나가 유행하던 2020년 나는 코로나도 아닌 원인불명의 고열로 병원에 입원하게 되었다. 코로나 시국에 어린 두 아이를 아내 혼자 돌보는 것이 걱정되셔서 장인어른 내외분이 며칠 관사로 오셨다. 부대는 검열기간 중이었고 밤 늦게까지 훈련이 지속되고 있었다. 그러던 중 어머님이 집에서 아이들이 어지럽힌 장난감을 치우시다 미끄러지셔서 낙상 사고로 갈비뼈가 부러지고 마셨다. 제대로 일어 서시지도 못하고 병원을 가야 하는 위급한 상황인데 우리 가족은 구급차를 부를까 말까 고민했다. 병원에 입원한 나는 지금 부대에서 이동이 되는지 구급차를 부를 수 있을지를 확인했다. 당시 코로나 시국에 부대 검열기간까지 겹쳐서 부대 상황이 너무나도 혼란스러웠기 때문에 나 역시 어떻게 해야 할지 갈피를 잡지 못하고 있었다. 아버님이 급하게 어머님을 모시고 본인의 차로 내가 입원한 병원으로 오셨다. 나는 링거를 맞은 채로 병원 응급실로 나와서 장인어른 내외분을 맞이했고 어머님은 응급조치를 받을 수 있었다. 입원한 사위 대신 아내를 도와주러 오셨다가 어머님은 나와 함께 병원 신세를 지게 되셨다. 지금 생각하면 내 자신이 너무 한심하다. 사람이 그냥 아픈 것도 아니고 낙상으로 뼈가 부러진 상황인데 부대의 훈련 상황으로 구급차를 부르니 마니 이런 고민을 했으니 말이다. 이런 나의 부대 생활이 가족들에게 아픈 상처가 되지는 않을까 걱정스럽다.

이 외에도 가족들이 경험하는 어려움은 너무 많다. 부대 정문에 테러상황을 가정한 대테러 훈련을 할 때면 모든 출입구는 폐쇄되고 부대 밖으로 나갈 수도 안으로 들어 갈 수도 없는 상황이 연출된다. 아이를 데리고 병원에 가려고 차를 타고 나가는 길에 훈련상황으로 정문이 폐쇄되어 못 나갔다는 가족, 아이들이 하원시간에 부대에 들어오지 못하고 학원 버스에 앉아서 1시간을 기다렸다는 이야기는 군인 가족들의 희생을 보여준다. 군인 가족들의 희생과 지원이 없다면 군인들도 복무에 충실히 임하지 못할 텐데 군인 가족들에 대한 희생을 강요하지 않았으면 한다.

아내들의 힘든 모습은 집에서만 알 수 있다. 아내들은 이런 스트레스를 남편에게만 풀지 어디 하소연할 곳이 없기 때문이다. 흔히들 '독박육아'라는 표현을 한다. 전업 주부는 일하는 남편을 대신해서 아이를 키우고 집안일을 하면서 시간을 보낸다. 요즘에는 시대가 바뀌어서 남편들도 집에 돌아오면 육아하고 가사 노동을 분담하는 경우가 많지만 그래도 아내들의 가사노동, 육아 스트레스는 큰 편이다. 한때 아내가 휴직을 하고 집에 있을 때 퇴근하면 잔소리를 한 적이 많이 있었다. '집안이 너무 어질러 있지 않냐, 저녁 식사준비 안 하냐' 등 청소와 식사로 잔소리를 했다. 아직도 아내는 그런 나의 모습을 생각하면 격한 분노의 감정이 일어난다고 한다. 돌이켜보면 정말 내 자신이 한심하고 아내에게 미안한 마음이다. 전담 육아를 하면서 이제야 아내들의 힘든 점을 조금이나마 이해하게 되었다고 할까?

육아휴직을 하는 남편들은 아내들의 고통을 더욱 잘 이해하게 되었다는 이야기가 있다. 직접 아이들을 육아하고 가사노동을 하면서 아내의 고생을 몸소 체험하고 공감한다는 것이다. 자기가 직접 해보기 전까지는 아무리 이야기를 많이 들었다고 해도 이해하지 못하는 것이 사람의 본성이다. 직장의 문화나 분위기에 따라 다르겠지만 남성 육아휴직 비율이 증가하는 것은 사회적으로 바람직한 현상이다. 휴직은 가족을 위한 시간이고 그 속에서 나의 행복을 찾는 것이다. 이제는 육아와 가사노동은 남편이 도와주는 것이 아니라 부부가 함께 하는 것이라고 말한다. 부부는 서로 누가 더 나가서 돈을 많이 벌어오냐 집안일을 많이 하냐로 싸우는 경쟁상대가 아니라 함께 비행하는 편조원이다. 아이가 있는 부부는 서로 사랑하는 가족이자 오늘도 육아라는 격

렬한 전투에서 승리하기 위한 같은 팀이다. 오늘도 많은 부부가 서로에게 상처주지 않고 육아 퇴근이라는 임무를 성공하기를 기원한다.

7. 엄마를 찾는 사회

부모라는 단어는 아버지를 뜻하는 '부', 어머니를 뜻하는 '모'의 한자로 이루어져 있다. 동양 고전인 '사자소학'에 '부생아신 모국오신(父生我身 母鞠吾身)'이라는 글귀가 있다. 아버지는 나의 몸을 태어나게 하시고, 어머니는 나의 몸을 기르셨다는 의미라고 한다. 첫째 아이가 부대 내 작은 도서관에서 처음으로 배운 소학 글귀인데 아직도 '부, 생, 아, 신' 하면서 흥얼거리는 덕분에 나도 자연스럽게 알게 되었다. 오랜 옛날부터 부모의 역할은 자식들을 잘 낳고 잘 기르는 것이었다.

부모 중에 엄마와 아빠의 역할을 어떻게 나눌 수 있을까? 우리 사회의 엄마와 아빠에 대한 역할 인식은 옛부터 이어진 유교 문화의 영향이 크다고 할 수 있다. 남자는 바깥일을 하고 여자는 집안일을 하는 것이 대표적인 것이 모습일 것이다. 하지만 근대화, 산업화를 겪으면서 여성들의 사회참여가 활발해지고 있다. 10년 전만 하더라도 내가 있던 부대에 결혼한 조종사들의 아내 중에는 전업주부를 선택하시는 분들이 많았다. 최근에는 전혀 그렇지 않다. 결혼을 하고서도 자신의 커리어를 유지하려는 여성이 많으며 커리어로 인해서 결혼을 주저하는 경우도 많다. 하지만 여전히 엄마와 아빠에 대한 사회적 성 역할 인식의 전환은 미비하다. 사회는 여전히 엄마들이 육아를 해야 한다는 인식이 많은 편이다. 전담 육아를 하는 아빠로서 내가 느꼈던 엄마와 아빠의 역할에 대한 사회의 인식에 대해서 몇 가지를 이야기하려 한다. 아이들이 나와 함께 있을 때에도 엄마를 찾는 경우에 관한 이야기다.

어느 주말 병원에 긴급하게 다녀와야 했었다. 첫째 아이가 저녁 식사 후 갑자기 열이 나기 시작했다. 토요일 하루 종일 잘 뛰어 놀았었는데 저녁 식사 즈음해서 얼굴이 상기되고 힘이 없어 보였다. 열을 재보니 38도가 넘고 있었다. 일단 해열제를 먹이고 나 혼자 첫째 아이를 안고 병원으로 이동했다. 최근에 아이들 사이에 유행하는 수족구나 구내염이 의심되었다. 열이 나기 시작하니 며칠 전부터 어린이집에서 유행성 전염병에 대한 공지가 전달된 것이 기억났다. 토요일 저녁 주말 진료를 하는 병원을 찾아서 간신히 접수를 했다. 열이 나서 축 처진 아픈 아이를 안고서 의사 선생님의 진찰을 받았다. 아니나 다를까, 목에서 수포가 보인다고 의사 선생님은 말씀하신다. 구내염 이구나. 안타깝게도 법정 전염병에 걸릴 경우 완치가 될 때까지 어린이집을 등원할 수 없다. 다른 친구들에게 전염병을 옮기면 안되니깐 말이다. 수납을 완료하고 처방전을 가지고 근처 약국을 찾았다. 약이 나오고 약사 선생님은 나에게 복용법에 대해서 설명하기 시작했다. 정확한 대화 내용은 기억나지 않지만 마지막에 하신 말씀은 오랫동안 기억에 남을 것 같다.

"약은 5일치 나왔습니다. 이 약은 하루에 3번, 항생제는 하루에 2번 복용하시면 됩니다. 항생제는 중간에 열이 떨어지고 나은 것 같아도 끝까지 다 먹어야 합니다. 중간에 나았다고 멈추시면 안됩니다."

"항생제 양이 총 00ml인데 하루에 2번 00ml씩 먹으면 5일치가 안될 것 같은데요?"

"혹시 아이 어머님 어디 가셨어요?"

"왜 아이 엄마를 찾으시지요? 저에게 복용방법을 설명해 주세요."

순간 내가 설명을 잘못 알아들었나 고민하기도 했지만 갑자기 엄마를 찾는 약사의 말에 속으로는 화났다. 아빠인 내가 제대로 이해하지 못하니 답답한 마음에 엄마를 찾는 건가? 보호자인 내가 있는데 왜엄마를 찾는 거지? 곧 이어서 나에게 차분하게 설명을 해주시고 나는아이와 함께 집으로 돌아왔다. 다소 아쉬운 마음은 있었지만 나와 약사 선생님 간의 오해의 해프닝으로 끝났으면 하는 바람이다.

또다른 이야기는 미국 대사관에서 겪었던 이야기다. 첫째 아이가아주 어릴 적, 태어난 후 6개월이 되었을 무렵, 6개월 정도 미국으로잠시 다녀올 기회가 있었다. 아이가 너무 어렸기 때문에 아내와 아이를 데리고 다녀올 수 있을지 걱정이었다. 하지만 젊음의 패기로 우리가족은 함께 가기로 결정했다. 미국에 3개월 이상 체류할 경우 비자면제프로그램, ESTA 대상이 아니기 때문에 목적에 맞는 비자발급이 필요했다. 나와 아내는 이미 미국 비자를 발급받았고 아이만 미국비자를 발급받으면 되는 상황이었다. 4개월된 아이를 데리고 미국 대사관에서 비자 인터뷰를 해야 했다. 유아를 동행한 비자 인터뷰 경험담을인터넷에서 찾아보았다. 찾아본 결과 문제는 미국 대사관 출입이었다. 비자가 없는 사람에 한해서 비자 인터뷰로 대사관에 출입할 수 있었다. 즉, 나와 아내는 둘 다 비자가 있어 대사관 출입이 안되지만 유아의 경우 반드시 보호자 1명을 필요로 하기에 나와 아내 둘 중에 한명만 동행이 가능했다. 누가 동행할까 고민하다가 내가 아이를 데리고 가기로 했다.

인터뷰 당일 아침, 광화문에 있는 미국 대사관 근처 카페에 들렀다. 미국 대사관에 출입에 내가 더 긴장이 되었다. '혹시라도 비자가 거부되면 어떻게 하지'라는 걱정이 앞섰다. 조금이라도 도움이 될까 공군 조종복, 녹색 원피스도 입었다. 비장한 마음으로 아내를 남겨두고 4개월된 아이를 바구니형 카시트에 앉혀서 데려갔다. 아빠의 긴장된 마음을 아는지 모르는지 아이는 해맑게 웃고만 있었다. 혹시나 대사관에서 인터뷰가 길어질지 모르니 기저귀와 분유를 챙기고 대사관 입구에 줄을 섰다. 출입구 앞쪽에서 근무하시는 경비원분이 영유아를 바구니 카시트에 들고 서있는 내 모습을 보시고 나를 앞쪽으로 먼저 들어가게 해 주셨다. 다행이다. 4개월된 아이와 경비원분에게 감사의 마음을 표했다. 비자 인터뷰는 대사관 2층에서 진행했다. 2층으로 올라가니 먼저 오신 분들이 비자 인터뷰를 위해 꽤 긴 줄을 서 있는 모습이 보였다. 줄을 서려고 하는데 한쪽에서 대사관에 근무하시는 한국 중년의 여성분이 나에게 말을 거셨다.

"아니, 이런 어린아이를 다 데리고 오고, 무슨 일로 오셨어요?"

"아이 비자 인터뷰하러 왔습니다."

"엄마는 어디 갔어요?" "한 명만 들어올 수 있다고 해서 제가 들어왔습니다." "아니 엄마도 없이 아빠 혼자서 이 어린애를 데리고 어떻게 들어왔어요? 엄마 어디 있어요? 내가 엄마도 들어올 수 있게 처리해 줄게"

괜찮다는 나의 대답에도 한사코 나를 딱하게 여기셨는지 아내가 들어올 수 있도록 도와주겠다고 하셨지만 사실 나는 빨리 인터뷰를 마무리하고 이곳을 나가고 싶었다. 거듭된 나의 거절에 결국 앞쪽으로 옮겨서 영사 인터뷰를 빨리 진행할 수 있게 배려해 주셨다. 그것 만으로도 나는 충분히 감사했다. 당시에는 대사관이라는 엄숙한 분위기, 영어 인터뷰에 대한 부담감이 나를 짓눌렀다. '아이가 울기라도 하면 어쩌지', '혹시 미국 대사관에서 기저귀를 가는거 아니야' 라는 걱정 등으로 너무 긴장하고 있어서 당시에는 잘 느끼지 못했다. 무사히 인터뷰를 마치고 돌아가는 길에 문득 생각이 들었다. 만약 동일한 상황에서 엄마가 아이를 데리고 대사관에 들어갔다면 사람들은 아빠 어디 있냐고 찾을까? 우리 사회는 주로 아빠가 아닌 엄마를 찾고는 한다. 왜 엄마는 되는데 아빠는 아직 안될까?

　나는 가끔 내가 겪었던 두 사례를 아내와 이야기를 한다. 곰곰이 생각해 보면 더 많은 일화가 있을 것 같다. 전담 육아를 하는 나의 입장에서 아빠가 아닌 엄마를 찾는 사회를 마주할 때면 아직 우리 사회의 인식은 엄마가 더 육아를 하는 사회로 인식한다는 것을 느낀다. 하지만 때론 그런 오해와 편견이 상처가 될 수 있다. 예를 들어 한부모 가정이라면 사회가 엄마를 찾았을 때 그 아이들과 아빠가 느끼게 될 마음의 상처는 너무나 쓰라리고 아릴 것이다. 여러 이유로 엄마가 함께 하지 못하는 상황인데 무조건 엄마가 있어야 하고 엄마가 없으면 안되는 사회라면 엄마에게도 아빠에게도 아이들에게도 너무 가혹하다.

　우리사회는 엄마의 역할을 슈퍼맨으로 생각한다. 집에서는 밥도 해야지 육아도 해야지, 나가서는 일도 하고 돈도 벌어야 하는. 사회의 인식이 변하지 않는다면 여성들이 엄마가 되는 부담을 쉽게 떨치지 못할 것 같다. 대한민국의 출산율은 날이 갈수록 떨어지고 있다. '합계출산율이 또 기록을 경신했다, 이대로는 대한민국 소멸위기다' 등의 뉴스가 매년 발표된다. 출산율을 높이기 위해서 정부와 사회는 온갖 정책을 내놓고 예산을 투입한다고 한다. 사람들의 기본적인 부모, 양육에 대한 인식과 문화가 낮은데 정책과 예산이 큰 효과를 발휘할까?

언젠가 맞벌이하는 여자 동기와 이런 일화가 있었다. 그 친구는 남편과 각자 떨어져서 주말부부로 지내고 있었다. 그리고 아이들은 엄마인 여자 동기와 함께 살면서 지내고 있었다. 출장이 있어서 내가 지내는 부대에 찾아왔고 우리는 다른 친구들과 함께 점심을 먹었다. 며칠이나 엄마는 집에 없고 아빠랑 애들만 있어도 되냐고 묻는 다른 친구들의 말에 여자 동기는 이렇게 대답했다. "아이들에게는 엄마나 아빠나 똑같은 존재야. 둘 중에 한 명만 같이 있으면 되지 꼭 엄마가 같이 있을 필요는 없어." 나는 속으로 피식 웃었다. '나는 이미 그렇게 살고 있는데' 라는 생각이 슬그머니 들었다. 아이들에게는 부모가 필요한 것이지 엄마가 필요한 것은 아니다.

에필로그

한 챕터의 마무리,

그리고 새로운 여정

전투 조종사로서 비행생활을 하면서 아빠로서 전담 육아를 하면서 남들과는 조금은 다른 삶을 살았던 것 같다. 이제는 '전담 육아 조종사'라는 나와 같은 삶을 선택한 사람들이 꽤 많다는 사실에 놀라기도 하고 자부심을 느끼기도 한다. 육아는 꼭 엄마만이 하는 일이 아니고, 군인, 전투기 조종사라 해서 전담 육아를 할 수 없는 것도 아니다. 육아 휴직을 선택하거나 전담 육아를 선택하는 조종사들이 늘어나고 있다. 그들의 선택이 정말 대단하다는 말을 전하고 싶고 자부심을 가져도 좋다고 하고 싶다. '가능할까? 어떻게 할 수 있지?' 라는 걱정과 의심을 하겠지만 불가능한 일도 아니다. 나 같은 평범한 사람도 해냈으니 이 글을 읽으신 당신도 해낼 수 있다고 용기를 북돋아 주고 싶다.

다만 단언컨대 주변에서 많이 도와주지 않는다면 혼자서는 불가능하다. 혼자 하기에는 신체적, 심리적으로 지치고 쓰러져서 포기하려 하기 때문이다. 내가 대처할 수 없는 위급 상황에 처했을 때 할머니, 할아버지 찬스를 받을 수 있어서 너무나 감사했다. 아이들이 전염병에 걸려서 어린이 집 등원을 하지 못했을 때, 나와 아내가 코로나-19에 확진되어 아이들을 육아하지 못했을 때, 매번 위기때마다 아이들을 돌봐 주셨다. 나의 어머니 아버지, 그리고 아내의 어머니 아버지가 고비때마다 도와주시지 못했다면 우리 가족은 이렇게 버티지 못했을 것이다. 주말마다 아이들을 데리고 할머니, 할아버지 댁에 찾아 뵈어서 나름 고통스러웠을 아이들의 삼촌들에게도 감사의 인사를 전한다.

또한 나의 주변 동료들이 도와주었기 때문에 전담 육아를 할 수 있었다. 나의 상사, 지휘관들은 나의 이런 상황을 고려해서 일부 부서이동을 통해 업무를 경감시켜 주셨으며 내가 전투 조종사지만 육아시간 사용 등 유연한 근무를 할 수 있도록 배려해 주셨다. 나의 동료들은 내가 야간 당직, 비상대기 업무를 수행하지 못할 때면 대신해서 근무를 수행해 주었으며 나 역시 가능한 시기에 비상대기 업무를 수행했다. 나와 함께 비행하고 훈련한 전우 동료들이 배려해준 덕분에 나는 버틸 수 있었다.

부대의 어린이집은 직장 어린이집으로 내가 아이들을 육아하고 전투 조종사로 복무할 수 있는 기반이었다. 부대 어린이집이 없었다면 전담 육아 조종사의 생활을 감히 도전하지도 못했을 것이다. 때로는 아침 7시 30분부터 그리고 저녁 6시부근까지 아이들을 성심성의를 다해 돌보아 주신 어린이집 선생님들에게 감사의 인사를 전한다. 전담 육아하는 나를 대단하다고 칭찬해 주신 원장선생님의 말씀은 정말 큰 힘이 되었다. 그리고 저녁 시간 나를 도움을 주셨던 돌봄, 보육선생님의 역할도 잊을 수 없다. 하루에 1시간이라도 나에게 저녁 자유시간이 생겨 잠시라도 숨을 돌릴 수 있었다. 그렇지 않았다면 나 역시 육아 스트레스에 진작 포기했을지도 모르지만 다시 회복할 수 있었다.

그리고 나의 아내, 아이들에게 너무나도 미안하고 감사한 마음이다. 시차가 바뀌는 잦은 해외비행과 장시간의 출퇴근은 육체적으로 아내를 힘들게 했다. 하지만 그보다 아이들과 많은 시간을 함께 하지 못한다, 엄마의 역할을 다 하지 못한다는 자신의 한탄과 자책은 아내를 심리적으로 무너지게 했다. 나 역시 전담 육아를 선택했음에도 육아 스트레스를 어느 순간 아내에게 풀고 있었고 아내도 지쳐갔다. 끝까지 버텨준 아내를 정말 사랑하고 감사하다. 우리 아이들은 다른 집과 달리 엄마가 주로 없이 아빠와 함께 자라주었다. 아이들이 버티지 못했다면 사실 우리의 이 삶은 유지될 수 없었다. 엄마, 아빠의 빡빡한 일정 속에서 아프지 않고 잘 자라주어서 너무 고맙다. 너무 잘 버텨준 아이들이 자랑스럽고 안아주고 싶다. 100점짜리 엄마, 아빠는 아니지만 과락은 받지 않으려고 최선을 다하는 엄마, 아빠라는 점을 커서 알아주면 좋겠다.

아빠로 전담 육아 조종사를 하면서 힘들지 않았다면 거짓말일 것이다. 그럼에도 '왜 이렇게 살아야 하나'를 고민하기 보다 '그냥 하는거지'라는 마음으로 살았던 것 같다. 아내와 주변 사람들의 칭찬과 응원을 떠올리며 주어진 상황을 수긍하며 최선을 다했다. 힘들었던 만큼 내가 얻은 것도 많이 있다. 자라나는 천진난만한 아이들과 함께한 소중한 시간, 지나가면 돌아오지 않는 추억말이다. 아이들이 엄마와 함께하는 시간은 비록 다른 가정에 비해서 적겠지만 아빠와 함께한 시간은 관사 아파트에서 1등이 아니었을까? 가끔씩 아이들은 헷갈려서 그런지 나를 엄마라고 부르기도 했다. 시간이 지나고 아이들이 점점 커가면서 둘이서 놀이터에서 놀게 하고는 책을 읽거나 이렇게 글을 쓰곤 한다. '시간이 약'이라더니 정말 육아에도 적용되었다. 지금은 비록 지치고 힘들지만 시간이 갈수록 익숙해지고 조금씩 나아진다는 긍정적인 희망을 얻었다.

조종사를 영어로 'Pilot, 파일럿'이라고 부르지만 파일럿은 TV 프로그램이 정규편성 되기 시범적인 첫 회, 에피소드를 지칭하기도 한다. 말 그대로 모험과 도전적인 시도라고 할 수 있다. 전투기 파일럿 아빠라는 모험과 도전은 내 삶의 큰 변곡점이었고 내 인생의 하이라이트 챕터였던 것 같다. 내게도 이런 멋진 스토리가 있었다는 사실을 이 책으로 미래에 나에게 편지를 보낸다. 그리고 이 글은 우리 모두의 이야기이기도 하다. 내가 보고 겪었던 그리고 함께 동시대를 살아간 조종사, 그 가족들의 이야기, 육아를 하는 엄마, 아빠의 이야기말이다. 우리의 모험과 여정은 앞으로도 계속 나아갈 것이다.

손편지는 사라지지 않는다

임나린

임나린　마음을 말로 표현하는 데에 서툴러 글을 적기 시작했다. 흐르는 시간 속에서 잊혀가는 것들을 꺼내오기 좋아하고, 그것들을 여러 사람과 나누기를 좋아한다. 영원을 바랄 수 없는 세상에서 편지의 영원함을 꿈꾸며 손글씨가 주는 힘을 믿는다. 매년 연말이 되면 연하장을 직접 제작한다. 사람들은 나를 조용하지만 속이 깊은 아이라고 부른다.

이메일: dlaskfls0707@naver.com

편지는 나에게

아빠가 말했다. "편지 하나만으로도 마음을 표현할 수 있는 거야." 상대방에게 내 마음을 표현하고 싶을 때 굳이 필요 이상의 값비싼 선물은 필요 없다는 뜻이었다. 작은 손에 오백 원도 크게 느껴지던 시절, 그 말이 뇌리에 박혔던 걸까. 나는 또래보다 글을 늦게 뗴었지만 그럼에도 편지를 곧잘 써왔다. '축하해', '고마워', '사랑해'. 대단하고 화려한 문장은 아니었지만, 심지어는 투박하기 그지없는 문장들이었지만 그저 마음을 표현해야 한다는 생각에 편지는 내 마음 어딘가에 자리 잡고 늘 당연하게 써왔다. 그 누구의 강요는 없었다. 내가 좋아서. 단지 좋아서 썼다.

편지는 단순한 글이 아니라 눈에 보이는 마음이다. 오로지 마음과 시간만 있다면 언제든 내 진심을 전할 수 있다는 것이 얼마나 값진 일인가. 각종 SNS 문화가 커지면서 속상하게도 사람들에게 잊히고 있는 요즘이지만 난 여전히 편지를 쓴다. 내가 그동안 받았던 편지 중 가장 오래되고, 여전히 소중히 여기고 있는 편지 한 통을 소개해 주고 싶다.

유치원을 이제 막 졸업하고 초등학교 입학을 얼마 남겨두지 않은 봄방학이었다. 가장 잘 따르고 좋아했던 담임 선생님께 그동안 감사했던 마음을 전하겠다며 그날도 어김없이 무작정 편지를 적겠다고 나섰다. A4용지를 세로로 한 번, 가로로 두 번 접고, 가운데 부분을 가위질로 구멍을 내어 접으면 여덟 면의 책 모양이 완성된다. 한 면 한 면에 메시지와 그림을 그려 동화책 같은 편지를 썼다. 그리고 엄마와 손을 잡고 문방구에 가서 우표를 하나 사고 문방구 바로 앞에 있던 빨간 우체통에 편지를 넣었다. 사실 그 당시 어떤 메시지를 적었고 어떤 그림을 그렸는지에 대해서는 하나도 기억나지 않지만 선생님께 무사히 전해지길 바랐던 간절한 마음은 아직도 기억이 난다. 다행히 편지는 선생님께 잘 전달이 되었고 엄마 휴대폰으로 고맙다는 문자까지 받았다. 그리고 며칠 뒤 우리 집으로 내 몸만치 커다란 택배 상자가 도착했다.

선생님이 보내신 선물이었다. 상자 안에는 헬로키티 학용품 세트와 편지가 들어 있었다. 편지엔 입학을 축하한다는 메시지와 함께 학교 가서도 좋아하는 그림을 많이 그렸으면 하는 선생님의 바람도 함께 적혀 있었다. 어린아이라면, 또 매번 언니가 쓰던 헌 물건을 물려받았던 둘째의 입장에선 반짝이고 예쁜 새 학용품 세트를 더 좋아해야 했던 것이 맞지만 나는 편지에 더 기뻐하고 좋아했다. 선생님의 편지를 보물 1호라고 칭하기도 했었고, 외출을 할 때나 잠시 집을 비워야 하는 날이 오면 부적처럼 늘 선생님의 편지를 가방 가장 윗주머니에 넣고 다닐 정도였으니 말이다. 내가 좋아하던 사람에게 마음을 받는 일이 이렇게 기쁜 일인지 처음 알았다. 선생님의 진심이 담긴 편지 한 통에 처음으로 편지의 기쁨을 맛본 것이다. 그리고 그 편지는 14년째 구김 하나 없이 그때 그 모습 그대로 편지 상자에 소중히 간직 중이다.

나에게 편지는 여러 의미가 있지만 그중 하나는 추억이다. 누군가에게 편지를 주고 상대방이 좋아해 주었던 날, 혹은 내가 편지를 받아서 기뻐했던 그날이 어떤 날씨였고, 어떤 상황이었는지, 상대방의 얼굴 표정까지 오래도록 기억하게 된다. 잠시 잊고 있다가도 편지를 꺼내어 읽으면 기억이 다시 되살아난다. 14년 전 일을 이렇게 글로 쓰고 있는 지금처럼. 모든 물건들의 영원을 바라지만 바람대로 이루어지지 않는다. 하지만 편지는 추억이라는 이유만으로 영원할 거라 믿는다. 추억에 마음까지 더해졌으니 영원은 더 오래 지속될 것이다.

여덟 번째 생일을 며칠 남겨두지 않은 무더운 어느 여름 날이었다. 평소라면 거실 소파에서 티비를 보고 있어야 할 언니가 웬일인지 방 책상에 앉아 꼼짝 않고 혼자 사부작사부작 무언가를 하고 있었다. 무엇을 하느냐는 질문에 대답도 않고 심지어 내가 들어가지 못하도록 문까지 꼭 걸어 잠갔다. 잠시 후 언니는 엄마와 아빠를 한 명씩 방으로 부르더니 다시 방 문을 잠갔다. 그렇게 거실에 홀로 덩그러니 남겨진 나는 서러움에 엉엉 울며 화를 냈던 기억이 난다.

그렇게 며칠 뒤 생일 아침이 밝았다. 새벽같이 출근한 아빠를 제외한 엄마와 언니가 생일 축하한다며 선물을 전해주었다. 그중 두루마리 휴지처럼 말려 있는 종이 하나가 있었다. 종이를 감싸고 있던 리본을 풀어보니 3단 케이크 모양 그림이 그려져 있었고, 케이크 한 단 한 단에는 언니, 엄마, 아빠의 손편지가 적혀 있었다. 편지를 적기 위해 나만 빼고 방으로 불러 몰래 준비했던 것이다. 짜증 내고 엉엉 울었던 나 자신이 창피하기도 하고 무안하기도 했지만 그때의 기쁨을 잊지 못한다. 가족들의 손편지도 좋았지만, 늘 물어뜯고 싸우기 바빴던 언니에게 받은 선물이었기에 더 큰 감동이었다.

편지에 대해서는 좋은 기억들만 가득했고, 그 좋은 기억과 감정들을 항상 다른 사람들에게도 나누기 위해 노력했던 나였다. 하지만 아주 잠시 편지를 쓰지 않았던 시절이 있었다. 내가 열두 살이 되던 해 우리 학교에서 가장 무섭기로 소문난 남자 선생님을 담임으로 만났던 것이다. 소심하고 자신감도 많이 부족했던 나는 선생님의 심한 차별과 폭력을 행하는 모습을 보며 더욱 기가 죽기 시작했다. 반 친구들 앞에서 대놓고 무안을 주기도 했고, 성적으로 무시를 당하기도 했다. 심한 스트레스로 섭식장애까지 왔지만 담임은 그마저도 내 탓으로 돌렸다. 시간이 지날수록 상황에 적응하기는커녕 이런 상황을 이겨내지 못하는 나 자신을 미워하기 바빴다. 내가 나를 충분히 사랑하고 아껴줘야 남에게 사랑을 줄 수 있는 것처럼 나의 마음이 좋은 것들로 가득 차 있어야만 상대방에게도 좋은 마음을 베풀 수 있다. 그러니 당시 가난했던 내 마음엔 남에게 베풀어줄 수 있는 마음이 부족했던 것이다. 스스로를 속이는 진실되지 못한 형식에 갇힌 좋은 말들만 써주다가는 내 마음도 덧날뿐더러 상대방의 마음도 채워주지 못할 거라는 확신이 들었기 때문이다.

아픔도 힘듦도 언젠가는 지나간다. 시간이 해결해 주는 거 같지만 흐르는 시간 속에서 성장한 내가 아무 일도 아니라는 듯 스스로를 토닥여주기 때문이다. 그런데 나에게는 성장할 시간이 조금 더 필요했나 보다. 마음은 점점 더 낡아져만 갔다. 중학교에 올라가서는 친구 문제, 진로 문제로 더욱 불안한 날들만 많아졌다. 그렇게 편지에 대한 기쁨도, 마음을 표현하는 법도 완전히 잃어버렸다. 매일이 조급했다. 다른 아이들처럼 그냥 즐겁게 지내고 싶었다. 다시 전처럼 좋은 마음을 나누는 사람이 되고 싶었다. 그러던 어느 날 정말 오랜만에 편지지를 사러 문구점에 갔다. 여러 장을 쓸 수 있는 대용량으로.

가난하고 낡아빠진 내 마음에 손을 내밀어 준 친구들을 만났기 때문이다. 졸업을 얼마 남겨두지 않은 열여섯 살 겨울이었다. 그렇게 마음이 힘들던 시기를 지나 정서적으로 안정될 수 있게 해주는 친구들을 만난 것이다. 그땐 어느 정도 진로의 방향도 내면의 나도 길을 잡아갈 시기였다. 방향을 잡는데 주변 친구들의 도움을 참 많이 받았다. 마음이 힘들었던 시간 동안 많은 것들을 잊고 지냈다. 그중 하나가 그림이었는데 친구들은 네가 좋아하는 일을 다시 했으면 좋겠다며 용기도 북돋아 주었다. 그림을 그리라며 태블릿PC를 빌려주고, 그림에 너만의 표식이 있어야 하지 않겠냐며 싸인도 만들어 주었다. 어떤 선택지에 대해 고민을 하고 있으면 본인 일처럼 달려와 좋은 선택을 할 수 있게 도와주었고, 새로운 도전을 위해 고민할 때면 다 같이 머리를 맞대어 좋은 아이디어를 제시해 주기도 했다.

정말 좋은 아이들이었다. 그 아이들만 생각하면 눈물이 날 정도로 고맙고 미안한 마음이 가득했다. 이런 내 마음을 어떻게 표현할 수 있을까 오랜 시간 고민하고 내린 결론은 결국 편지였다. 잊고 지냈던 편지의 기쁨을 다시 나눌 때가 온 것이다. 설렜다. 그리고 고마웠다. 잊고 지내던 기쁨을 다시 안고 살아갈 수 있게 해주어서. 졸업식 전날 그동안 그려왔던 친구들의 캐리커처와 함께 편지를 전해주었다. 다들 하나같이 좋아해 주었다. 그리고 졸업식 당일. 나도 친구들에게 많은 편지를 받을 수 있었다. 친구들의 편지에 또 한 번 감동을 받았다. 내가 준 편지를 읽고 주변 친구들에게 편지로 마음을 나누기 시작했다는 아이들이 있었기 때문이다.

실제 편지 내용

사실 나 원래 애들한테 편지 쓸 생각 없었는데 어제 네가 나한테 준 편지 보고 네 마음이 너무 예쁘고 따뜻해서 너한테 답장을 안 할 수가 없겠더라고. 근데 너에게 받은 이 예쁜 마음을 다른 아이들에게도 나눠 주는 게 좋을 거 같아서 이렇게 쓰고 있어.

정말 오랜만에 느껴보는 편지의 기쁨이었다. 좋은 아이들에게 예쁜 마음을 받고 나서야 나는 다시 편지를 쓸 수 있는 용기를 얻었다.

말을 못해서요

표현이 무색한 사람들이 있다면 편지를 추천해 주고 싶다. 편지를 더 열심히 쓰기 시작한 이유는 말을 못 해서였다. 여전히 세상에서 가장 두려운 것을 뽑으라면 그중에는 발표가 있다. 오로지 나를 향하는 눈빛들과 내가 말을 시작해야만 깨지는 적막이 낮은 자존감을 안고 살아가던 나에게는 정말 큰 공포였다. 스무 명이 조금 넘는 반 친구들 앞에 서게 되는 날이 오면 온몸이 경직되고 숨조차 쉬기 힘들었다. 그 모습을 본 반 아이들은 발표 공포증인 거 아니냐며 수군거리기도 했다. 친구와 다투거나 선생님께 혼이 나던 상황에서도 내 마음은 하나도 전하지 못하고 내내 눈물만 흘리다 집에 돌아오는 날이 많았다. 그런 날에는 자기 전에 불이 다 꺼진 캄캄한 방 침대에 누워 내가 왜 그때 그 말을 하지 못했을까 후회하며 이불을 걷어차다 잠에 들곤 했다. 누구보다 생각이 깊은 나인데, 다른 사람들은 잘 보지 못하는 누군가의 내면도 들여다볼 줄 아는 나인데 내 생각과 마음을 말로 또박또박 표현해 내지 못하는 것이 늘 속상했다. 그때부터 편지에 내 마음을 담아 전해주기 시작했다. 그런데 정말 놀랍게도 그때부터 주변 사람들이 진짜 '나'를 알아 봐주기 시작했다. 그동안 사람들에게 나는 그저 '소극적인 아이', '조용한 아이'에 불과했다면 언젠가부터 '조용하지만 속이 깊은 아이'라고 표현해 주기 시작했다. 마음이 닿았던 것이다. 내 선택이 옳았던 것이다. 다른 사람들이 하는 방법이 어렵다면 나만의 방법을 만들면 된다. 그게 나에게는 편지였던 것이다.

나는 늘 시간이 필요했다. 남들은 하루 이틀이면 하는 작업을 나는 일주일 밤을 꼬박 새워야 할 수 있었다. 모든 일에 더디었던 터라 남들보다 더 오랜 시간 고민하고 노력해야만 해낼 수 있었다. 그래서 머릿속에 생각나는 것을 바로 내뱉어야 했던 '말'이 나에게는 더 어렵게 느껴졌을지도 모르겠다. 글로 마음을 표현할 때는 천천히 할 수 있다는 것이 가장 큰 장점인 거 같다. 말은 한 번 실수하면 주워 담을 수 없으니 더욱 신중해야 한다. 또한 나의 무지로 인한 말실수는 상대방에게 더 큰 실례가 될 수 있다. 아무리 좋은 말을 들어도 신경 써서 기억하거나 기록해 두지 않으면 언젠가는 잊히기 마련이다. 그럼 그 일은 없었던 일이 되는 것이다. 하지만 글은 천천히 생각하고 전하고 싶은 이야기를 뜰채에 거르고 걸러 오로지 좋기만 한 마음을 정리해서 전해줄 수 있다. 너무 가벼워 입바람에도 쉽게 날아가는 종이 한 장이지만 깊고 따뜻하게 꾹꾹 눌러 담은 마음이 오래도록 남는 것이다.

"집에 가서 읽어" 내가 누군가에게 편지를 전해줄 때면 항상 하는 말이다. 표현하며 살아가기 위해 노력하고 있지만 사실 아직도 누군가에게 마음을 전하는 일이 낯간지럽게 느껴질 때도 있다. 그동안의 마음을 내가 보는 바로 앞에서 읽어버리면 민망한 것도 있지만 상대방도 집에 돌아가 정리가 된 차분한 상태에서 편지를 천천히 읽으면 나의 마음을 더욱 잘 이해할 수 있을 거라 생각하기 때문이다. 마음에 대해서는 성급할 필요가 없다. 그게 전하는 마음이든, 이해하는 마음이든. 오히려 천천히 한다면 더 좋다. 마음은 오래 들여다보면 볼수록 깊어진다. 그래서 시간만 있다면 더욱 깊고 따뜻한 마음, 진심 어린 마음이 나오기 마련이다. 누군가에게 마음을 전하기란 쉬워 보여도 행동으로 옮기는 것에 무색한 사람이 많다. 그래서 더욱 값지고 소중한 일이다. 물론 모든 일에는 타이밍이 중요하고 꼭 그 순간 말로 표현해야만 하는 일들도 있지만 내가 겪어온 바로는 조금 늦게 진심을 전하게 되었다고 해서 싫어하는 사람은 없었다. 그동안 그런 생각을 하며 지냈구나 하며 이제라도 용기 내어 알려준 것에 대해 오히려 고마워했다. 그러니 늘 표현하는 일에 서슴지 않았으면 좋겠다.

매년 연말연초가 되면 비워내고 채워내는 시간을 갖는다. 무엇을 비워내고 채워내는지는 매년 다르다. 연말에는 늘 기말고사를 치르기 바빴기 때문에 시험 기간 동안 더러워지고 밀린 청소를 하며 방을 비워내기도 하고, 각자 사느라 바빠서 못 만났던 반가운 사람들과 시간을 보내며 마음을 채우기도 한다. 한 해 동안 수고한 나를 위해 그동안 갖고 싶었던 물건을 스스로에게 선물해 주며 행복을 채우는 동시에 통장을 비우기도 한다. 그중 매번 빼먹지 않고 하고 있는 일은 바로 연하장 제작이다. 직접 제작한 연하장을 한 해 동안 고마웠던 사람들에게 전하며 인사를 나누고 있다. 연하장 디자인은 제작할 당시 끌리고 좋아하는 느낌으로 제작을 하고 있지만 최대한 그 해의 트렌드를 조금씩 넣기 위해 노력하고 있다. 시간이 흘러 모인 연하장들을 보았을 때 그 해에는 어떤 디자인이 유행했고, 어떤 동물의 해였는지를 알 수 있게 말이다.

　제작을 할 때는 항상 뒷면에 서너 줄 정도의 공백을 남겨두고 인쇄를 맡긴다. 전해줄 사람들에게 한 명 한 명 손편지를 적어주기 때문이다. 일 년 동안 힘들고 무거웠던 마음들은 사람들에게 좋은 마음을 적어주며 비워내고, 연하장을 받은 사람들의 반응을 보며 다시 마음을 따뜻하게 채워 넣는다. 연하장은 보통 서른 장 정도 뽑는다. 서른 명의 사람들에게 서너 줄의 손편지를 적는 일이 사실 보통 일은 아니다. 약속도 많고 정리할 일도 많은 연말에 여러 면으로 버거울 때도 있지만 사람들이 좋아하는 모습을 보면 이 마음을 나누지 않을 수가 없다. 한 해를 마무리 짓고, 시작할 때마다 서로의 안부를 물어주고 행운을 빌어주는 일만큼 또 좋은 일이 있을까. 연하장으로 그동안 연락이 소홀했던 관계를 다시 회복하기도 하며 좋은 인연을 오래 이어갈 수 있다는 점에서 참 좋은 일 같다. 여력이 된다면 이 일을 오래도록 하고 싶다.

　지금껏 모인 연하장은 세 장, 연하장을 제작한 지는 그렇게 오래되지 않았다. 처음부터 연하장을 만들 생각은 없었다. 2019년 말부터 코로나 바이러스가 확산되기 시작하며 2020년 코로나의 최절정기를 맞이했다. 중학교를 졸업하고 고등학교 입학을 하고 나서까지도 친구들을 만나지 못했다. 좋아하는 친구들을 오래도록 보지 못하니 많이 속상했던 시간이었다. SNS로 연락을 하는 방법도 있었지만 친구들에게 특별한 방식으로 안부를 전하고 싶어 직접 편지를 써서 각자 집으로 우편을 보내주었다. 빨간 우체통에 편지를 넣는 일, 우편함에 편지가 꽂혀 있는 일. 수고로움을 덜어내기 위해 우리가 너무 오래 잊고 지내왔던 소소한 행복이다. 친구들도 이런 우편은 오랜만이라는 듯 반가운 기색을 보였다. 이렇게 오래전 기억을 다시 추억하며 꺼내어 볼 수 있는 일이라면 사람들이 잊고 지낸 또 다른 무언가를 다시 시작해 보는 것이 좋겠다는 생각을 하게 되었다. 그렇게 생각해 낸 것이 바로 연하장이다. 처음엔 기존에 판매되는 연하장을 구매해서 보내줄까 했지만 스스로에게도, 연하장을 받을 사람들에게도 더욱 깊은 마음을 전하고 싶어 직접 제작을 해보기로 했다. 오랫동안 표현을 하고 지내지 않은 친척, 가족, 선생님, 친구에게 일 년 동안 느끼고 배운 나의 감정들을 고백한다. 일 년의 마음을 담아 내기엔 턱없이 부족한 공간이지만 그래서 신중히, 진심만을 담아낼 수 있고 더욱 밀도 있게 단단한 나의 마음을 전할 수 있다. 그렇게 완성된 마음은 직접, 혹은 우편으로 전달된다. 전달받은 사람들에게 연락이 오면 자주 보지 못해도, 조금은 어색한 사이 일지라도 연말연초에 서로의 마음을 알아가고 인사를 나누는 시간을 갖게 된다. 그러면 새로운 일 년을 다시 살아가기에 필요한 마음이 충분히 채워진다. 이렇게 나는 또 한 번 힘을 얻은 것이다.

중학교에 입학했을 당시 정말 친해지고 싶었던 친구가 있었다. 복도를 지나가다 마주쳤던 친구였는데 동그란 얼굴에 단발머리, 눈꼬리가 쳐져 빨간 머리핀이 잘 어울리는 귀여운 친구였다. 그 아이와 친해지고 싶었는데 아무런 접점을 찾을 수가 없었다. 그렇다고 먼저 다가

가 말을 걸 수 있는 성격도 못됐다. 그렇게 시간이 흘러 3학년 첫 등교를 하던 날. 교실 문을 열었을 때 그 아이가 책상에 앉아 웃는 얼굴로 친구들과 대화를 하고 있었다. 내심 반갑고 정말 기뻤지만 같은 반이 되었다는 이유만으로 무턱대고 다가갈 수 없었다. 좋은 친구가 되고 싶어 그 아이가 느낄 수 있는 아주 작은 부담도 주고 싶지 않았기 때문이다. 그 아이와 친해지기 위해 조용히 조금씩 다가갔다. 수업 시간 모둠을 정할 때 일부러 그 아이가 있는 모둠에 들어가고, 대화를 하다가 아주 작은 공통점이라도 찾는다면 그에 대한 이야기를 소소하게 키워나갔다. 한 학기가 지나고 우리는 제법 많이 가까워질 수 있었다.

졸업식을 하루 앞두었던 날 그 아이에게 편지를 전해주었다. 오래전부터 친해지고 싶었는데 이렇게 친해질 수 있어 좋았다는 이야기와 함께 그동안 그 아이와 친해지기 위해 했던 작은 노력들을 전해주었다. 일 년을 가득히 묵혀 두었던 마음들이었다. 그 아이는 다음 날 나에게 답신을 주었다. 친해지기 위해 그런 노력들을 해왔는지 몰랐다며 미안하고 고맙다는 이야기를 담은 편지였다. 오랜 시간이 걸렸지만 좋아하는 아이에게 나의 마음을 전할 수 있어서, 그 아이가 나의 마음을 알아볼 수 있어서 기뻤다. 하지만 그 아이와 다시 헤어져야 한다는 사실이 속상해 졸업식이 시작도 하기 전에 전교 일 등으로 눈물을 흘렸던 기억이 난다. 다행히도 그 아이와는 여전히 좋은 친구로 SNS를 통해 연락도 주고받고 우편으로 편지도 주고받으며 꾸준히 서로를 아끼는 좋은 친구로 지내고 있다. 온 세상 사람들이 등을 돌려도 여전히 서로의 편일 거라는 소중한 약속을 각자 가슴 속에 새긴 채 말이다.

'네가 나에 대해서 다 안다고 생각하지 마. 다 알 수 없는 거야. 모두가. 부모 자식이라고 해서 뭐 다 아냐? 그러니까 서로가 자기 마음을 표현하면서 살아야 돼.'

모델 홍진경이 딸 라엘이와 했던 대화 내용이다. 표현은 쉽지 않다. 그게 가족이라면 더더욱 어렵다. 그러나 내가 표현하지 않으면 아무도 알지 못한다. '고마워', '미안해', '사랑해'. 당연시 여기는 작은 마음이라도 나누며 살아야 한다. 어쩌면 우리가 살아가는데 가장 필요한 문장들이 아닐까. 사랑과 관심이 없으면 살아갈 수 없는 세상이다. 그러니 우리는 서로 더욱 표현을 하며 살아가야 한다. 굳이 말이 아니어도 좋다. 말이 어렵다면 글로 천천히 마음을 표현하는 법을 익혔으면 좋겠다. 그래야 내 마음을 알아준다. 빠르면 좋지만 느리더라도 상관없다. 언젠가 상대방이 나의 마음을 알아준다면 그냥 그걸로 됐다.

나만의 편지 십계명

"넌 편지를 참 잘 쓰는 거 같아" 나의 편지를 받은 사람들에게 종종 듣는 말이다. 편지를 쓸 때 특별하지 않지만 나만의 작은 규칙들이 있다. 그것들을 처음부터 끝까지 매번 지키며 편지를 쓰는 것은 아니다. 하지만 규칙들이 모여 습관이 되고, 그 작은 습관들이 모여 나의 진심에 더욱 힘을 실어 준다. 혹시나 이 글을 읽는 사람 중에 평소 편지가 어려워서 그동안 멀리하던 사람이 있었다면, 그 사람들이 좋은 마음을 전하는데 조금이라도 도움이 되길 바라며 나만의 편지 십계명을 적어본다. 십계명이라는 명칭 때문에 거창해 보여도 어쩌면 사소함에 숨겨진 당연함이라 우리가 잠시 잊고 있었던 것들일지도 모른다.

어디까지나 나만의 방식일 뿐이니 조금의 참고만 해주면 좋겠다. 하지만 이것 하나만큼은 꼭 기억해 주길 바란다. 오직 한 사람만을 위해 적은 편지는 이미 그것만으로도 충분히 의미 있고 소중하다. 편지를 이런 방식으로 쓴다고 해서 내가 쓰는 편지가 결코 잘 쓰는 편지가 아닐 것이다. 잘 쓴 편지의 진짜 정의는 내 편지를 읽은 상대방의 마음이 결정한다. 내가 편지에 담아낸 글로 인해 상대방의 마음이 채워졌다면 나의 이번 편지도 성공이다.

첫째. 솔직하고 담백하게 적어라

멋진 편지를 주고 싶다고 해서 수준 높은 단어를 구사할 필요 없다. 시에 나올법한 비유법 또한 필요 없다. 특히 과도한 비유법은 읽는 상대방을 오히려 부담스럽게 만들 수 있으니 주의해야 한다. 상대방이 원하는 편지는 멋들어진 단어들로 꾸며낸 시 같은 문장이 아니라 나의 진심이다. 스스로 선택할 수 있는 단어와 문장들을 나열하여 솔직하고 담백하게 적어내는 것이 중요하다. 또한 오랜 시간 묵혀왔던 감정을 이야기하는 만큼 스스로 부담이 되지 않는 선에서 조금은 깊숙한 이야기를 꺼내는 것도 좋다. 예를 들면 '나는 과거에 아픔이 있어서 사람들에게 쉽게 다가가지 못했는데 함께 하는 시간 동안 너는 나의 아픔을 보듬어 줄 뿐 아니라 극복해 나갈 수 있게 해준 사람이었어.'와 같은 문장이다. 동정을 사라는 것이 아니다. 다른 사람에게는 들려주기 어려웠던 속내를 들려줌으로써 너는 나에게 그만큼 특별한 존재라는 것을 알려주는 것이다.

편지지를 내용이 보이지 않게 반으로 접었음에도 다시 봉투에 넣고 스티커까지 붙여 동봉을 하는 이유에 대해 생각해 본 적이 있다. 어쩌면 주인 허락 없이는 아무도 열지 못하는, 편지를 주고받는 너와 나를 위한 작은 공간을 만드는 것이 아닐까 그에 대한 나의 결론이었다. 그 공간에서는 우리 둘 만을 위한 마음이 담겨 있는 것이고 어떤 것에도 눈치 보지 않으며 자유롭게 털어낼 수 있는 것이다. 많은 이들이 아닌 오직 상대방만을 위한 것이니 꾸며낼 필요가 없다. 꾸밈없는 솔직한 나의 마음을 상대방에게 전달하길 바란다.

둘째. 색다른 시작을 찾아라

지금껏 편지 첫 문장에서 〈안녕? 나 OO이야.〉 와 같은 인사와 함께 본인의 이름을 밝히는 문장을 많이 썼을 것이다. 이게 나쁜 방법이라는 것은 아니다. 상대방이 내가 누구인지 잘 모르는 상태라면 당연히 본인의 이름을 밝히는 것이 맞다. 하지만 대부분 우리가 편지를 쓰는 대상은 서로에 대해 잘 알고 있으며 오랜 시간을 함께 해온 사람일 것이다. 그래서 매번 똑같은 첫인사 보다 가끔은 상대를 생각했을 때 가장 먼저 떠오르는 감정으로 색다르게 시작해 보는 것을 추천하고 싶다.

'저희를 처음부터 끝까지 지켜봐 주신 선생님께 3년의 시간을 이 한 장에 담으려니 어떻게 시작을 해야 할지 모르겠습니다.'

고등학교 졸업을 앞두고 많이 애정 하던 선생님께 썼던 편지의 첫 문장이다. 고등학교 생활 3년 동안 가장 많은 부분을 함께해 주시고 도와주신 선생님께 그동안 해드리고 싶었던 말도, 느꼈던 감정도 많았지만 그 많은 것들을 종이 한 장에 다 담으려니 막막했던 밤이 있었다. 이 막막함을 멋진 말로 꾸며내기보다는 현재 나의 감정을 있는 그대로 이야기하며 한 줄 한 줄 적어 내려가기 시작했다. 내용은 부족했을지 모르지만 첫 문장에서 선생님은 이미 충분히 내 마음을 다 알아주셨을 거라 믿고 있다.

편지를 자주 쓰는 사이가 아닌 일 년에 한 번 정도 가끔 써주는 사이라면 더더욱 이 방법을 추천한다. 흔하지 않게 시작하는 편지는 쓰는 나에게도, 받는 상대방에게도 특별하게 다가올 뿐만 아니라 다른 편지보다는 조금 더 흥미롭게 읽을 수 있는 편지가 될 것이다.

셋째. 맞춤법 검사기를 돌려라

각종 커뮤니티에 되/돼 안/않 웬/왠 을 구분하지 못하는 친구 때문에 정떨어진다는 글을 본 적이 있을 것이다. 맞춤법 문제는 신조어와 줄임말이 유행하며 더욱 심각해진 것 같아 나 또한 많은 신경을 쓰고 있는 부분이다. 몇 년 전 뉴스에서도 본 거 같다. 연인 사이에서 가장 정떨어지는 순간 1위는 약속을 지키지 않았을 때. 2위는 맞춤법을 틀렸을 때라고. 그만큼 사소한 부분은 아니라는 생각이 든다. 사람이 완벽할 수 없으니 지키려고 노력해도 무의식중에 실수가 나오기 마련이다. 그러니 편지를 쓰다가 헷갈리는 맞춤법이나 띄어쓰기가 있다면 부디 본인을 믿지 말고 기계의 힘을 빌려 올바른 맞춤법으로 진심을 전하길 바란다. 진지하고 감동적인 말이 오고 가는 동안에 작은 맞춤법 실수 하나로 인해 차오르던 감정이 깨져버리는 일은 결코 없었으면 한다.

넷째. 최소 이틀 전부터 준비해라

나는 보통 한 사람에게 편지를 쓸 때 내용에 대해 짧게는 2-3일, 길게는 한 달 전부터도 준비한다. 일상생활을 하다가 적어주고 싶은 내용이 생각날 때면 틈틈이 휴대폰 메모장을 켜서 기록해둔다. 그렇게 모인 내용은 본격적으로 편지를 쓰기 전 메모장에서 다시 정리를 한다. 어떤 말로 시작하고, 어떤 내용을 넣고, 어떤 말로 마무리를 지을지. 아, 종이에 옮겨 적기 전에 내용 정리를 할 때는 손글씨보다는 휴대폰 메모장을 추천한다. 내용을 수시로 추가하거나 수정할 수 있다는 점에서 매우 편리한 것도 있지만 무엇보다 전체 복사, 붙여넣기를 통해 빠르게 맞춤법 검사가 가능하기 때문이다. 그렇게 정리된 내용을 종이에 옮기는데 다시 짧게는 삼십 분, 길게는 한 시간 정도 소요된다. 상대방이 내 마음을 받아들이는 시간 동안 방해가 되지 않도록 글씨도 예쁘게 쓰기 위해 노력한다. 종이에 옮기다가 글씨가 마음에 들지 않으면 그 종이는 구겨버리고 다시 새로운 종이에 마음을 옮겨 적기 시작한다. 그럼에도 글씨가 마음처럼 써지지 않을 때도 있지만 상대방을 위한 나의 작은 예의라고 여긴다.

편지를 다 쓰고 나면 진이 빠진다. 글을 적었지만 삼십 분 동안 상대방에게 말로 내 마음을 전해준 것만 같은 느낌이 든다. 나의 마음을 상대방이 꼭 알아줬으면 하는 마음에 말을 하는 것처럼 긴장을 하는 것이다. 이 모든 과정들은 상대를 위한 내 진심이다. 손편지를 더욱 고집하고 좋아하는 이유도 여기에 있다. 상대방이 나를 정말 좋아하면 종이 한 장에 다 티가 난다. 시간, 노력, 마음. 그래서 나도 편지를 받으면 더욱 소중히 간직하게 된다. 내가 해보았기 때문에 상대방도 이 한장을 나에게 전해주기 위해 어떤 과정을 거쳐 왔을지 눈에 보이기 때문이다. 그래서 최소 이틀 전부터 준비를 해야 한다. 편지는 시간을 많이 들일수록 존재의 의미가 더욱 선명해지기 때문이다.

다섯째. 미래보다는 과거를 적어라

미래보다는 과거에 대한 이야기를 적어주는 것이 좋다. 미래에 대한 이야기가 일절 존재하면 안 된다는 이야기는 아니다. 편지 속에서 미래는 앞으로 우리의 지속적인 관계, 서로에게 바라는 건강과 행복 정도가 적당하다. 그리고 그 문장들은 편지를 마무리 짓는 마지막 부분에 넣어 매듭짓는다. 과거는 단순히 나와 상대방의 처음으로 되돌아가면 된다. 그동안 말하고 싶었지만 낯간지럽고 민망해서 차마 입 밖으로 꺼내 전해주지 못한 말이나 그 당시 느꼈던 감정, 아주 오래되거나 사소해서 상대방도 잊었을 법한 추억, 상대방은 아무렇지 않았지만 나에게는 큰 감동이었던 기억 등 너와 나만이 갖고 있는 이야기에 대해 적어주면 된다. 상대방은 내가 전해준 편지 한 장을 통해 그동안 함께한 시간들을 되돌아볼 것이다. 너무 멀고 누구도 확답을 줄 수 없는 미래에 대한 이야기를 하는 것보다는 함께 공감하고 감정을 나눌 수 있는 추억에 대한 이야기를 적어 주길 바란다.

여섯째. 지나친 ㅋㅋㅋ과 ㅠㅠㅠㅠ는 피해라

지나친 ㅋㅋㅋ과 ㅠㅠㅠㅠ 사용은 지양해야 한다. 자칫하면 편지가 담고 있는 마음이 가벼워 보일 수 있기 때문이다. 되도록이면 사용하지 않는 것을 권장하지만 상황에 따라, 상대에 따라 사용해야 할 순간이 온다면 최대한 자제하여 꼭 사용하고 싶은 곳에만 사용하길 바란다.

ㅋㅋㅋ과 ㅠㅠㅠㅠ 외에도 비슷한 것으로는 진짜/너무 가 있다. 문장을 깔끔하게 만들어 주면서도 글의 무게에 더욱 힘을 실을 수 있기 때문이다. 또한 특별히 돋보이고 싶은 감정을 위해서 아껴두는 것이다. 나 또한 평소 '너무'라는 말을 너무 자주 사용한다. 그래서 편지를 종

이에 옮기기 전 메모장에서 정리하는 과정에서 '너무'라는 말을 지우는 과정을 거치기도 한다.

일곱째. 줄일 때는 온점을, 늘릴 때는 마음을 넣어라

끝이 없고 정리되지 않은 문장은 상대방을 혼란스럽게 만든다. 또한 정보만 전달하는 편지는 더 이상 편지가 아니라 혼자 방에서 쓰는 일기밖에 되지 않는 것이다. 전하고 싶은 말을 나열한 뒤 줄일 수 있는 곳은 줄이고, 늘릴 수 있는 곳은 늘려야 한다. 줄이는 부분에는 온점을, 늘려야 하는 부분에는 정보만 전달하는 것이 아니라 그 당시 느꼈던 마음을 넣어 주는 것이다.

수정 전

우리 건대에서 만나서 밥 먹으러 갔던 날 나 사실 너보다 20분이나 일찍 도착했었어. 우리가 만나서 갔던 그 식당도 진짜 맛있었는데 너랑 밥 먹으면서 했던 대화들도 참 재밌었던 거 같아.

수정 후

우리가 건대에서 만났던 그날. 오랜만에 너를 만날 생각에 약속 장소에 20분이나 일찍 도착했었어. 너를 기다리는 20분이 마냥 지루하지만은 않았던 거 같아. 오히려 설레었어. 우리가 만나서 갔던 식당 기억해? 음식도 맛있었지만 먹으면서 너와 나눈 많은 대화들이 오래도록 기억에 남아.

짧고 긴 문장이 반복되며 가독성을 더욱 높여주었으며 더욱 깔끔한 문장이 되었다. 또 상대방은 모르고 있던 사건이나 마음을 함께 적어준다면 더 솔직하고 진심이 느껴지는 편지를 쓸 수 있을 것이다.

여덟째. 중복된 내용은 피해라

편지는 상대방에게 새로운 나를 보여줄 수 있는 기회이다. 생각의 깊이, 애정의 온도 말이다. 그러니 다른 사람에게 썼던 내용, 똑같은 표현은 쓰지 않는 것을 권장한다. 나에게 편지를 받았던 친구가 그런 이야기를 해준 적이 있다. 편지를 많이 쓰려면 자연스럽게 흔한 말들이 많이 나올 텐데 그렇지 않다고. 그래서 사람 한 명 한 명 직접 대해주는 느낌이 들었다는 것이다. 받는 사람도 다 알고 있다. 편지의 내용이 나만의 내용인지, 다른 사람들에게도 했던 내용인지. 나만의 내용이라는 것을 느끼게 해주려면 오직 그 사람만을 위한 내용을 적어야 한다. 첫인상, 첫 만남, 느낌, 감정, 함께한 추억 등. 기억력이 좋지 않아서 힘든 사람이 있다면 본인이 이상한 것이 아니니 걱정하지 않아도 된다. 그저 사람의 성향 차이일 뿐이다. 그럴 때는 그 사람과 찍은 사진이나 영상 같은 기록을 찾아보는 것을 추천한다. 기록은 없던 일로 만들지 않기 위해 우리들이 수고와 맞바꾼 것들이다. 기록에서 발견한 우리의 이야기를 편지에 따뜻하게 녹여 전달하길 바란다.

아홉째. 길이에 연연하지 마라

한 장을 가득 채운 편지가 보기에는 좋아 보일 수 있다. 하지만 값비싼 선물이 최고의 선물이 아닌 것처럼 무조건 긴 편지라고 해서 좋은 편지가 되는 것은 아니다. 오히려 짧게 써주는 서너 줄의 편지가 더욱 진심으로 다가오는 경우가 있다. 짧기 때문에 정말 하고 싶은, 상대방만을 위한 진심을 담아 줄 수 있기 때문이다. 편지지의 공백이 두려운 사람은 유선 편지지보다는 무선 편지지를 추천한다. 그러니 내용의 길이보다는 내용의 깊이에 신경 썼으면 좋겠다. 풍성하게 부푼 거품은 시간이 지나면 금방 사라지고 남아있는 것은 없다. 겉으로만 풍성하고 가득 차 보이는 내용보다는 조금은 작아 보이더라도 마음이 가득 찬 편지를 적었으면 좋겠다. 길이가 길든 짧든 읽는 상대방을 위해 적은 편지라면 그것만으로도 의미가 있으니 말이다.

열째. 의미를 담은 선물을 함께 해라

나는 편지를 줄 때 의미가 있는 선물을 함께 하는 것을 좋아한다. 하지만 절대 거창하고 비싼 것이 아니다. 가장 많이 했던 선물은 인화사진이었다. 추억에 대한 내용을 담아줄 때 상상도 좋지만 그때의 그 순간을 함께 눈으로 볼 수 있다면 더욱 의미가 있을 거라고 생각했기 때문이다.

고등학교 3학년 때 안방 서랍 속에 있던 디지털카메라를 발견했다. 엄마가 나의 첫돌을 기념해 거금을 들여 샀던 카메라라고 했다. 관리를 잘 해둔 덕분에 19년이라는 세월이 무색할 만큼 아무 탈 없이 작동했다. 엄마에게 허락을 맡고 디카를 학교에 갖고 다니며 선생님, 친구들과 사진을 찍기 시작했다. 졸업 기념으로 준비하던 선물이 있었는데 인화 사진도 함께 넣어 추억을 선물하면 좋을 거 같다는 생각을 했기 때문이다. 유난히 사진에 집착하는 나에게 다들 의문을 가지기도 했지만 다행히도 거부하는 사람은 없었다. 추억이 한 장씩 쌓이는 동안 졸업식은 순식간에 일주일 앞으로 다가왔고 드디어 인화를 맡겼다.

졸업을 하루 앞둔 날. 교내를 돌아다니며 선생님들과 친구들에게 준비한 선물을 전했다. 모두 좋아해 준 덕분에 나 또한 기분이 좋았지만 특히나 사진을 함께 넣길 잘했다는 생각이 들었던 일은 따로 있었다. 한 선생님께서 사진을 보시고는 눈물을 보이셨기 때문이다. 평소 빈틈없이 단단해 보이셨던 선생님이 보이신 눈물이었기에 더욱 진심을 느낄 수 있었다. 그렇게 교무실 앞에서 선생님과 껴안고 울었던 기억이 난다.

꼭 편지 속에 적은 내용과 동일한 날의 사진이 아니어도 된다. 함께한 날의 기록이라면 언제라도 좋다. 한두 장 정도 인화하여 추억을 함께 선물해 보길 바란다. 기억 속에 존재하는 그때의 우리보다 사진으로 남아있는 우리가 더욱 예쁘고 반가울 것이다.

손편지는 사라지지 않는다

손편지는 힘이 있다. 휴대폰 메시지는 갖고 있지 못하는 분명한 힘을 갖고 있다. 참 신기한 일이다. 모두가 그렇다는 것은 아니지만 대부분 편지를 받으면 그 사람도 똑같이 편지로 마음을 전해준다. 편지를 주고받음으로써 둘은 서로의 마음을 표현하는 사이가 된 것이다. 표현하는 사이는 더욱 돈독해질 수밖에 없다. 이게 편지의 힘이다. 그럼 이런 반박이 나올 수 있다. 휴대폰 메시지로도 충분히 마음을 표현할 수 있다고. 편지를 쓰기 위해 필요한 것은 종이와 펜뿐만이 아니다. 그보다 더 중요한 것은 마음과 시간이다. 휴대폰 메시지는 언제 어디서나 작성이 가능한 일이지만 편지는 시간을 내어 책상에 종이를 펼쳐야만 시작할 수 있다. 벌써 수고롭다. 하지만 수고로움을 감당하면서도 상대를 위해 글자를 적어 내려간다는 것은 마음이 있기에 가능한 일이다. 그래서 편지의 힘은 더욱 강하다.

여러 명의 친구를 두루두루 사귀는 것보다는 마음 맞는 소수의 친구들과 깊은 우정을 나누는 것을 좋아한다. 편지라는 주제에 억지로 끼워 맞추는 것이 아니라 실제로 내 곁에서 함께해 주는 친구들은 내가 준 편지를 너무나도 소중히 간직하고 그 마음을 온전히 받아들여 주는 친구들이다. 우리는 또래 아이들보다 유독 많은 편지를 주고받았다.

코로나 바이러스로 인해 고등학교를 3월이 아닌 6월에 첫 등교를 했다. 소심하고 조용한 성격 탓도 있었지만 중학교에서 같은 학교로 배정받은 친구가 없어서 친구를 사귀는 것에 어려움이 있을 거라고 생각했다. 하지만 걱정과는 달리 웃으며 먼저 다가와 준 친구들이 있었고 여전히 돈독한 네 명이 모이게 됐다. 1학년 첫 중간고사를 마치고 친구들에게 편지를 내밀었다. 시험을 준비하느라 제대로 정리도 못한 내용을 급하게 적어줬던 기억이 난다. 시험 보느라 수고했다는 격려의 짧은 편지였는데 고등학교에 입학해서 처음 사귄 친구들에게 고마움을 표현하고 싶었던 거 같다. 별거 없는 하찮은 편지에도 웃으며 좋아해 주던 그 아이들의 얼굴이 여전히 기억에 남는다. 편지를 받고 싶으면 먼저 쓰라는 말을 들은 적이 있다. 편지를 받고 싶어서 썼던 것은 아니었는데 고맙게도 그날 이후로 친구들도 편지를 써주기 시작했다. 생일과 같은 기념일은 물론, 가끔은 아무 일이 없는 보통날에도 편지를 쓰며 서로의 마음을 주고받았다.

시국이 시국인지라 학교생활 중 당연하게만 여겨 왔었던 수련회, 수학여행과 같은 행사들을 이행할 수 없었다. 중간중간 비대면 수업까지 합치면 친구들과 더 가까워지거나 함께 보낼 시간이 부족했다. 하지만 우리 넷은 다른 아이들과는 달리 유독 짧은 시간에 서로의 많은 것들을 나눌 수 있었다. 우리가 주고받았던 편지의 힘이 크지 않았을까 생각한다. 이제는 예전만큼 자주 보지는 못하지만 우리는 여전히 돈독한 관계를 유지하고 있다. 어쩌다 시간이 맞아 오랜만에 한자리에 모이는 날이 오면 어느 때와 다를 거 없이 우리 중 한 명은 꼭 편지를 꺼내들곤 한다. 이미 수많은 편지를 주고받았음에도 편지를 권태로이 여기지 않는 우리가 너무 좋다. 조금은 욕심일지 모르겠지만 오랜 시간이 지나도 이 마음이 변하지 않길 바라본다.

　나처럼 손편지를 좋아하는 사람이 있다면, 손편지의 온기를 느껴보고 싶은 사람이 있다면 꼭 추천해 주고 싶은 것이 있다. 길을 걷다 노란색 우체통을 발견한다면 절대 그냥 지나치지 않길 바란다. 익명으로 고민을 보내면 손편지로 답장이 도착하는 온기 우편함이다. 성인이 되면 거창한 성공을 이루어야 하는 줄만 알았던 나는 내내 갖고 있던 속앓이를 적어 우체통에 넣었다. 그렇게 약 3주 후 집으로 노란색 편지 한 통이 도착했다. 처음에는 특별한 기대를 하지 않았지만 생각보다 깊은 정성과 마음에 놀랐던 기억이 있다. 어떻게 얼굴도, 이름도 모르는 사람의 고민에 대해서 세 장 가득 채운 정성스러운 편지를 적어서 보내줄 수 있을까. 고민 해결 유무를 떠나서 마음이 기쁜 하루였다. 걱정하던 마음에도 위안이 되었다. 모르는 사람이니 더욱 솔직하고 편안한 마음으로 고민을 털어놓을 수 있다는 것이 가장 마음에 들었다. 또 모르는 사람의 고민이라고 해서 가볍게 여기지 않는 마음이 정말 고마웠다. 고민에 대한 답장은 나와 공통점을 갖고 있는 사람이 작성하여 전해준다. 비슷한 또래가 될 수도, 같은 고민을 갖고 있는 사람이 될 수도 있다. 그래서 더욱 위로가 되었다. 나만 앓고 있던 성장통이 아니라는 사실에 더 이상 외롭고 힘들지 않았다. 사랑 없는 도심

한가운데서 이루어지는 선행이 이렇게 따뜻하고 귀할 줄이야. 그렇게 나는 또 한 번 손편지의 영원함을 바라본다.

"저는 '연필 같은 거'라는 비유를 많이 드는데, 연필을 이제 안 쓰는 사람이 많죠. 펜이나 샤프를 쓰는 사람이 많죠. 근데 연필은 절대 없어질 리가 없지. 이 세상에 연필 같은 게 굉장히 많아요. 라디오.. 책… 아무도 안 쓰는 것 같지만 절대 없어지지 않는 것. 그 존재 이유만으로도 의미가 있는 것들이 있잖아요."
오지 않는 당신을 기다리며 시즌 3
일곱 번째 이야기 – 흑심 없는 연필 같은 것들 中

배우 겸 유튜버 문상훈이 했던 말이다. 세상엔 연필 같은 것들이 참 많다. 그중 나는 손편지가 있다고 믿는다. 연필을 찾는 사람이 줄어들고 있지만 사라지지 않는 것처럼. 책을 찾는 사람이 줄어들고 있지만 사라지지 않는 것처럼. 손편지를 찾는 사람이 줄어들고 있지만 손편지는 결코 사라지지 않을 것이다. 손편지는 존재 이유만으로도 의미가 있으니. 그리고 무엇보다 내가 계속해서 찾을 것이기 때문이다.

안녕하세요. 〈손편지는 사라지지 않는다〉 저자 임나린 입니다.

제 이름 석자 앞에 저자라는 꿈의 단어를 쓸 수 있는 날이 오다니

영광입니다. 또 그 첫 번째에 여러분이라는 독자를 만나게 되어

더욱 영광으로 생각합니다. 좋아하는 일에, 하고 싶은 일에 망설이지

않겠는 새해 다짐을 지키기 위해 글을 적기 시작했습니다.

처음 도전하는 일에 어려움도 많았지만 결국 저의 이야기를 내놓을 수

있게 되어 기쁩니다. 저의 글을 읽고 편지에 대한 호감이 조금이라도

생기셨다면 저의 첫 번째 여정을 성공으로 마무리 지을 수 있을 거 같습니다.

한창 부족하고 모진 글이지만 끝까지 읽고 들여다봐주셔서

진심으로 감사드립니다. 덕분에 꿈을 이룰 수 있었습니다.

2024년 2월.

봄이 다가오는 어느날 임나린 드림.

동화 같은 나의 짝사랑

하젤

하젤
모든 것들이 끝났다고 생각했을 때 다시 찾아온 감성과 기회.
딸에서 어느 순간 엄마로, 커리어 우먼으로, 또 직장인 극단의 대표로
누구보다 치열하게 살다보니 어느 새 중년이 되었습니다. 살고 싶어
연극을 하였으나 이제는 쉬고 싶어 글을 씁니다.
한 때는 술에게 위안을 받았지만 지금은 글로서 타인에게 위안을 주려
고 합니다.
포토 에세이 [他人... 그 어느 날] 발간

인스타그램: @hazell_story

나의 사춘기 첫만남 – 아버지의 교통사고

이틀째 겨울비가 계속해서 내렸다. 여름도 아니고 눈이 와야 할 12월에 계속되는 비를 보니 문득 떠오르는 장면이 있다.

1992년 여름, 장마철이었으니까 8월 정도 된 듯하다. 고등학생이었던 그때 나는 아주 오랫동안 혼자 마음 졸이며 좋아했던 사람이 있었다. 내가 사는 부평에서 그가 사는 역곡까지는 한 시간 거리였고 하필 그날 비가 엄청 많이 쏟아졌다. 그 당시 비만 오면 집에 틀어박혀 신승훈의 "오늘같이 이런 창밖이 좋아"라는 노래를 LP판이 튀도록 들으며 편지를 쓰곤 했다. 노래의 가사처럼 말이다.

『오늘 같이 이런 창밖이 좋아 슬프기는 하지만
창밖을 보며 편지를 써야지 비가 내린다고』

비가 그리 와서인지 비를 핑계 삼고 싶었는지 그가 보고 싶다는 생각에 엄마께 얘기도 안하고 몰래 그의 퇴근 시간에 맞춰, 그가 내리는 역 앞으로 가 작은 우산 한 개에 의지한 채 한 시간을 넘게 마냥 기다렸지만 결국 만나지도 못하고 쏟아지는 비에 옷이 몽땅 다 젖은 상태로 그냥 돌아와 감기에 고생을 한 기억이 있다. 삐삐 조차도 없던 그때, 언제 퇴근을 하고 올지도 모르는 사람을 무작정 기다리는 게 유일한 답이었다고 생각을 했었나 보다. 지금 생각해보니 순수 아니면 정말 멍청이였던 것 같아 피식 웃음이 나온다.

며칠 전 그 사람의 누나가 지병으로 죽었다는 소식을 접해서인가? 보고싶고 궁금하여 아주아주 오래된 10년간의 길었던 내 소중한 짝사랑을 부끄럽지만 조심스레 꺼내어 본다.

너무 어릴 적부터 알게 된 세상에서 제일 나쁜 교회 오빠, 나보다 7살이나 나이가 많았던 내가 정말 아무것도 모르는 어린 시절부터 마냥 좋아했던 사람. 내가 그 당시 성숙하였던 걸까? 내가 그를 첨 본건 열한 살이었다. 그 나이에 뭘 알아? 할 수도 있겠지만 지금 어린아이들이 연예인을 좋아하는 것과 같다고 보면 되겠다.

까만 피부에 크고 맑은 눈, 예쁜 손가락, 중 저음의 목소리, 장난기 많고 웃을 때 개구쟁이 같은 모습, 아직도 너무 선명한 그의 첫인상. 내가 아직까지 기억하고 있는 모습이지만 어린 마음에 가졌던 생각이 아니기를 바란다. 내가 그를 좋아하게 된 건 성가를 부르던 그의 표정과 목소리였던 것 같다. 늘 장난기가 많은 목소리에 짓궂은 그였는데 성가를 부를 때는 누구보다 진지하고 아름다워 보였다. 나에게는 TV에 나오는 연예인처럼 느껴졌고 마냥 좋았다. 하지만, 세월이 흐르고 나이가 들어 생각해보니 내가 그를 좋아하기 시작한 건 아주 많이 외롭고 혼자라는 느낌이 들 때였던 것 같다.

부모님을 따라 거리가 먼 교회를 처음간 건 11살이었고 교회를 간 지 얼마되지 않아 아버지가 퇴근길에 바로 집 앞에서 큰 교통사고를 당하셨다. 연락을 받고 병원으로 향한 가족들과 나는 아버지가 누워 계시는 하얀 시트가 온통 피범벅이었고 아버지 얼굴을 못 보게 하여 돌아가신 줄만 알고 다들 울음바다가 되었다. 의사선생님께서도 마음의 준비를 하라 하셨지만 아주 긴 시간의 수술을 통해 힘들게 다시 숨을 쉬실 수 있었고 그 후로 중환자실에서 오랫동안 계시다가 일반 병실로 가셔서 더 오래 계셨다. 엄마는 아버지 곁에서 항상 간호하셔야 했고, 나이 차이가 많이 나는 오빠와 언니는 직장생활을 했으니 나는 거의 혼자 밥을 해먹고 연탄을 갈고 학교를 가고 저녁이 되면 아무도 없는 깜깜한 방에 들어가기 무서워 윗집에 가 있거나 아니면 늦게까지 엄마와 아버지 병실에 있다가 수간호사 언니가 퇴근길에 데려다 주면 겨우 집에 들어갔다. 주택이라 혼자 있는 집이 무서워 언니가 올 때까지 꼼짝도 안 했던 기억이 드문드문 있다. 학교에 친한 친구도 많았지만 아버지의 병원비로 생활이 점점 더 어려워져 육성회비 조차도 내지 못하고 우유급식도 하지 못해 선생님께서 따로 챙겨 주셔서 먹어야 했던 나는 자꾸 위축되고 친구들과 비교되는 생활에 자신감도 떨어져 학교도 가기 싫었다. 그렇게 늘 혼자일 때 마당 평상에 누워 매일 라디오를 친구 삼아 엽서로 사연을 보내고 라디오에 나오는 노래들과 내가 보낸 사연이 나올 때 녹음을 하고 DJ를 흉내 내며 사연을 읽는 게 유일한 취미였고 즐거움이었다. 그 다음은 교회를 가는 게 제일 즐겁고 신이 났다. 교회는 집과 멀었고 교회 친구들과 언니 오빠들은 내가 힘들어 한 학교 생활과 창피해하였던 것을 몰라 학교 친구들과는 또 다른 의미로 나에게 잘해주며 걱정해 주고 신경 써 주었기에 아마도 좋았나 보다. 집에서 사랑받는 늦둥이 막내지만 그 당시는 항상 혼자 등교를 하고 혼자 밥을 해먹고 혼자 자야 했기에 마음에 큰 구멍이 있어 사랑이 부족했다고 느껴진 듯하다.

그런 시기에 내 눈앞에 나타난 나의 짝사랑 그가 나에게 한번 더 신경 써주고 잘 해주었던 그런 모습에 마냥 좋고 신이 났었다. 나중에 알고 보니 엄마가 나에게 신경을 써달라고 부탁을 하셨다는 충격적인 소리를 들었지만, 아무튼 그러거나 말거나 내가 좋았고 그로 인해 외로움도 덜 타게 되었으니 그걸로 좋았던 거다. 지금 생각해도 어린 내가 한 사람으로 인해 큰 구멍이 채워졌다는 것이 너무 웃기기도 하지만, 그로 인해 내 사춘기는 생각보다 쉽게 지나갔고 다른 길로 빠지지도 않고 착한 학생으로 지낼 수 있었으니 참 고마운 사람이고 내가 그를 좋아한 게 천만다행이라고 생각한다.

소심했던 나는 그렇게 말도 못하고 혼자서 그를 좋아하며 울기도 웃기도 하였고 구구절절 애절한 일기도 쓰고, 라디오에 매일 사연도 보내며 그를 향한 내 마음을 글로 표현한 기억이 있다. 그렇게 나의 글쓰기는 시작이 되었나 보다.

수련회 - 은하수를 처음 본 날

그를 좋아하는 마음이 시작된 후 가장 떨렸던 적이 있었는데 열감기로 겨우 교회를 간 날이었다. 예배가 끝난 후 계단에 서서 그가 커다랗고 예쁜 손을 이마에 대어보더니 "많이 아파? 열이 나네."라며 따뜻하고 낮은 목소리로 걱정하며 이야기해 주었을 때 내 얼굴엔 더 열이 오르고 심장이 멎는 줄 알았다. 영화나 드라마를 보면 좋아하는 남녀가 벽에 기대어 사랑의 대화를 나누는 듯한 딱 그런 분위기였는데 그때 나의 주변에는 사람들도 많았고 그건 그냥 나의 상상이었다. 왜 그가 하는 모든 행동이 드라마속에 나오는 주인공으로 보였던 건지 지금 생각해보면 미쳤었거나 너무 어린 마음에 순수했거나 둘 중 하나이다. 그래, 그만큼 순수했다고 생각하자. 어쨌든 그 후로 나는 그가 더 좋아졌고 그가 가는 곳이면 졸졸 따라다녔다. 그 중에서 특히 그와 긴 시간을 함께 할 수 있었던 크리스마스와 여름 수련회가 제일 좋았다. 그 당시는 성탄절 새벽송이라는 게 있었는데 성탄 예배 후 집집마다 돌며 과자 등을 받아와서 교회에서 밤새 게임을 하고 간식을 먹으며 파티 비슷한 걸 하는 거였다. 그 때는 여럿이지만 그와 함께 밤을 새면서 웃고 떠들고 그 사람의 목소리를 들을 수 있다는 게 마냥 좋고 행복 했었다. 그렇게 즐겁게 교회에서 밤을 새고 우리들은 각자 첫 전철을 타고 집으로 돌아갔다.

한번은 여름 수련회를 안면도 해수욕장으로 간 적이 있는데 그곳은 소나무가 빼곡한 솔밭이었고 밤이 되면 엄청 깜깜하고 무서울 정도로 불빛 하나 없었던 곳이다. 선생님들과 우리 학생들은 숙소용 텐트를 여러 개 치고 화장실용 텐트도 쳐놓고 3박 4일을 그 곳에서 보내며 함께 밥을 해먹고, 성경공부도 하고 레크레이션도 하며 부모님께 허락된 외박에 신나고 재미있는 생활을 하였다. 게다가 늘 수련회나 야유회를 가면 그의 장난이 빛을 발했다.

그 사람이 얼마나 장난꾸러기였냐면 나를 놀리고 울리는 것을 재미있어 해 그의 친구와 심한 장난을 쳐 많이 놀라기도 하고 울기도 했었다. 내가 그를 좋아했던 걸 알아서 더 장난을 많이 쳤던 걸까?

수련회를 갔던 안면도는 서해안이기 때문에 썰물일 때 갯벌에서 굴을 따서 그 자리에서 먹고, 작은 게도 잡으며 집중해서 놀다 보면 어느새 밀물이 밀려들어와 금방 깊어 진다. 그런데 그와 그의 친구들이 장난을 치느라 튜브를 타고 있는 나를 데리고 더 안쪽으로 들어가며 "여기 별로 안 깊으니까 괜찮아" 라고 하며 나는 그냥 두고 자기들끼리 나가고 있었다. 물을 무서워하는 나는 물속 바닥에 발이 닿지 않아 울기 시작했고 코앞에서 웃고 있던 오빠들은 목사님께 걸려서 크게 혼이 나고는 나를 얼른 데리고 물 밖으로 나간 적도 있었다. 아마도 나는 그 때 속상하고 삐쳐서 하루 정도 말을 하지 않아 오빠들이 풀어주느라 계속 장난을 더 쳤던 걸로 기억한다. 그 후로 나는 그 때의 트라우마로 10년 정도 수영을 배우지 못했지만 다행히 지금은 누구보다 물속에서 노는 것을 좋아해 수영도 배우고 물에 들어가면 나오질 않는다. 얼마전 그 당시 사진을 찾아보았는데 사진마다 그의 표정은 개구장이가 환하게 웃고 있는 모습이다. 아직도 나는 바보처럼 그 환상이 깨지질 않았나 보다.

　그렇게 수련회의 하루 하루가 순식간에 지나가고 마지막 날은 캠프 파이어가 꼭 있었다. 캠프 파이어가 끝난 밤에 그 사람과 그의 절친, 그리고 나는 목사님께 허락을 받아 셋이 모닥불의 작은 불빛에만 의존한 채 모래밭에 누워 이런 저런 즐거운 이야기들을 나누기도 하고 그들이 불러주는 노래를 듣기도 하며 시간 가는 줄 몰랐다. 주로 오빠들의 친구들 이야기, 학교에서 재미있었던 이야기, 선생님께 장난치다 뒤통수 맞았다는 이야기들이었다. 그리고 그 당시 유행하던 노래들을 자는 사람들이 깰까 아주 조용히 부르다가 우연히 하늘을 올려다보았는데, 생전 처음 보는 수많은 별들이 빼곡히 까만 밤하늘에 무서울 정도로 수놓아져 하늘이 온통 반짝였다.

　"오빠 오빠! 저기 하늘에 별들이 왜 이렇게 많아? 저거 별 맞아? 너무 많아서 좀 무섭다."

　"저건 은하수야. 은하수 처음 보니?"

　"응. 처음 봐. 오빠는 본적이 있어? 그런데 이렇게 누워 있으니까 무섭긴 하지만 꼭 보석으로 된 이불을 덮고 있는 것 같아."

　"맞아. 예쁘고 신기하지? 꼭 별들이 춤을 추는 것 같기도 하고, 잘 보면 공간을 수놓는 빛의 길처럼 보이기도 해." 라는 대화를 했었다. 사실은 그 때 그가 내 다리를 베고 누워있어서 더 예쁘게 말을 하고 싶었던 것 같기도 하다. 나는 말을 예쁘게 하지 못하는 아이였는데 그렇게 나를 내숭덩어리로 만들다니 정말 나쁜 교회 오빠다.

　우리는 아니 우리 세명은 은하수 사이에서 북극성도 찾고, 북두칠

성도 찾고 별똥별이 떨어지기를 기다리며 "별똥별이 떨어지면 소원을
빌어야 하는 거야" 라고 말해 눈이 빠지도록 쳐다보았지만 별똥별을
보았는지는 정확히 기억이 나질 않는다. 꼭 빌고 싶은 소원이 있었는
데 아마도 보지 못했던 것 같다. 그렇게 두 눈이 충혈될 정도로 별똥별
을 기다리다가 아주 예쁜 새벽별을 보며 아침을 맞이했다.

『밤하늘에 빛나는 수많은 저 별들 중에서
유난히도 예쁜 별이 하나 있었다네
그 작은 별엔 꽃이 하나 살았다네
그 꽃을 사랑한 어린 왕자 있었다네
꽃이여 내 말을 들어요 나는 당신을 사랑해요』

『꽃과 어린 왕자』 라는 노래를 그 때 그가 불러주어 처음 듣게 되었
는데 그 분위기에 너무 잘 어울리고 사랑스러운 노래라서 지금까지
도 좋아하고 자주 흥얼거리며 여전히 어린 왕자를 좋아해 아직까지도
책을 자주 읽는다. 아! 그리고 그가 좋아했던 나의 라임오렌지 나무도
20번 이상은 읽었던 것 같다.

그 후로 그렇게 많은 은하수를 다시 본 적은 없지만 언젠가는 꼭 다
시 볼 수 있을 거라는 기대를 가지고 있다. 지금도 은하수에 관한 사진
이나 별이 많이 떠 있는 것을 보면 그때의 행복하고 설레었던 일들이
아주 생생히 기억이 나지만, 그는 아마도 기억조차 하지 못할 것이다.
그렇게 정말 순수했던 그 때, 난 누구에게도 내 마음을 들키고 싶지 않

앗다.

카페 [영혼이 깨끗한 거지]

  그는 왜 고1 밖에 되지 않는 나에게 "커피 마시고 갈래?" 라고 물었던 것일까? 지금까지도 그의 마음을 알 수는 없지만 그때 내가 내린 결론은 "외롭고 답답해서" 였고 지금도 그 결론은 변함이 없다. 그는 친구도 많고 4남매라 가족도 많았지만 늘 외롭고 고독해 보였다. 어린 내가 그렇게 느낄 정도면 정말 많이 고독해 보였던 게 아닐까? 아니면 모든 신경이 온통 그에게 가 있어서 그렇게 느꼈던 것일까? 그것도 아니면 나도 그렇게 외롭고 답답함을 느꼈기에 나에게 더 잘 전달이 되었을지도 모르겠다. 그 당시 역곡역 앞에는 『영혼이 깨끗한 거지』라는 글씨가 예쁘게 박힌 하얀 간판의 카페가 한 건물 2층에 자리 잡고 있었다. 카페였는지 커피숍이었는지 정확한 기억은 나질 않지만 이름이 너무 예쁘고 특이해서 지금도 기억하고 있다. 그와 그 친구들이 자주 가는 곳이라는 것은 알고 있었고 항상 자기들끼리 주고받는 말이 "야! 거지"에서 기다려!" 였다. 처음엔 무슨 소리인지 몰라 왜 거지를 기다리냐고 묻곤 했는데 나중에 그들의 아지트라는 것을 알았다. 늘 그 곳 이름이 특이해서 궁금하던 중 예배가 일찍 끝난 어느 날 오후, 각자 집으로 돌아가려고 전철역으로 향할 때 커피 마시자는 그의 한마디에 1초도 망설이지 않고 따라 들어갔다. 난생 처음 가보는 어두운 조명이 있는 카페로 내가 좋아하는 그 사람과 단 둘이 들어간다는 생각에 너무 떨렸지만 아무렇지 않은 척 씩씩하게 들어가 낯선 분위기가 마냥 신기해 계속 두리번거렸다. 전체적으로 어두운 조명과 잔잔한 꽃 그림 자수가 새겨진 천으로 된 테이블보, 테이블 사이마다 칸막이가 있고 낮은 채도의 주황색 불빛이 나는 삿갓 조명 그리고 재떨이...... 그게 내가 그와 처음 간 카페의 모습이다. 그는 내가 어리다는 이유로 과일 파르페를 시켜주고 그는 커피를 주문했다. 난 그 날 그가 담배를 피우는 것도 처음 알아서 놀랐지만 담배 피우는 모습까지 너무 멋있게 보여 "오빠 담배도 피워?" 하며 그냥 바라만 보고 있었다. 교회 오빠라 그냥 착할 거라는 생각만 했는데 그건 뭐 그는 24살 성인이었으니까 술, 담배 정도야 할 수 있지.

그는 아무런 디자인도 없는 하얗고 투박한 커피잔에 가득 담겨 나온 진한 블랙커피에 프리마와 설탕을 입맛에 맞게 넣어 숟가락으로 휘휘 저어 녹이고, 나는 종이 우산이 꽂힌 어떤 맛인지 생각도 안나는 파르페를 한 입 먹고 나니 그가 이야기를 꺼냈다.

"오빠가 커피 마시자고 해서 놀랐지? 여긴 내가 지훈이랑 항상 오는 곳인데 분위기 어때?"

"분위기는 좋은 것 같은데 그런데 왜 나 데리고 왔어? 나 여기 들어와도 되는 거야?"

"그냥. 사실은 안되는데 일찍 끝났으니까 커피 마시고 가자. 이런 데 한번도 안 와봤어?"

"응. 우리 언니하고 오빠랑은 커피숍 환한곳만 가 보았는데... 이런 어두운 카페는 처음이야. 이 오빠 나쁜 오빠네. 그리고 나 아직 되게 착하거든!" 이렇게 대화가 시작되었다.

"오빠 사실은 학교 자퇴했다. 너무 견디기 힘들어서..."

"아니 힘들게 들어가놓고 1학년인데 벌써 자퇴를 하면 어떻게 해? 왜 그랬어?"

"내가 자퇴한 거 아직 아무도 몰라. 부모님도 목사님도 누나들도" 하며 시작된 이야기는 나를 너무 슬프게 했다.

그 당시 그는 삼수 끝에 한국외대에 다니고 있었고 그 전에는 신기하게도 대입고사 결과가 나오는 날 내 꿈에 나왔는데 꿈에 나오면 꼭 떨어졌다. 한번은 양쪽 다리에 붕대를 감고 병원에 누워있던 꿈을 꾼 적도 있어 걱정이 되어 전화를 했는데 역시나 떨어졌다는 소식을 들었다. 그렇게 두 번 내 꿈에 나와 대입고사에서 떨어져 나는 그때마다 가족들이 통화내용을 들을까 봐, 지금은 사라진 집 앞 금성극장에 있는 공중전화에서 전화를 걸어 떨어졌냐고 물어보고 다음에 다시 잘 보면 되니까 괜찮다고 응원과 위로를 해주었다. 다행히도 세번째 시험을 본 후에는 내 꿈에 나오지 않아 당당하게 "오빠 이번에는 합격할 거야. 걱정하지 마!" 라며 이야기했다. 정말 붙었다. 한국외대에 합격하고 열심히 다니는 줄 알고 있었는데 현실은 그렇지 않았다.

그는 디자인을 공부하고 싶었고 카피라이터가 되고 싶어했다. 지금 생각해도 아이디어도 좋고 센스가 있었던 사람이기에 참 잘 어울린다고 생각을 했었다. 그러나 부모님은 4대독자인 그가 디자이너가 되는 것을 못 마땅해하셨고 그렇게 힘들게 들어간 외대도 마음에 안 들어

하셨다. 신학대학에 들어가 전도사가 되기를 바라셨다고 했다.

"나는 정말 신학대학에 가기 싫고 전도사가 되기도 싫거든. 난 자유롭게 살고 싶고, 카피라이터가 하고 싶어서 부모님 몰래 학교를 그만 두었는데 금방 아시겠지? 내가 전에 교회를 한주 빠졌던 건 자퇴서 내고 혼자 여행을 다녀와서야. 교회를 빠진 건 처음이었던 거 같아. 나는 정말 하고 싶은 게 있는데 부모님께서 이해를 못해 주셔서 힘이 드네. 누나들에게도 이야기를 못 하겠어. 부모님을 이길 수가 없다."

"둘째 누나는 오빠 편이잖아! 누나한테 도와 달라고 하면 안돼?"

"누나들도 아버지를 설득하지 못 할 거야. 워낙 고집이 세신 분이라... 어머님이 더 완강하시긴 하지만..."

"그럼 어떻게 할 건데?"

"얼마전부터 몰래 디자인 학원에 등록해서 다니고 있어. 언젠가는 아시겠지만 나도 이제는 어른인데 하고 싶은 걸 해야지. 내가 하고 싶은 대로 멋진 광고를 만들어 보고 싶어. 집사님께 말씀드릴 거 아니지? (그 당시 우리 엄마는 같은 교회 집사였다)"

이렇듯 절대 전도사도 목사도 되지 않고 디자이너를 하겠다는 이야기, 같은 교회 목사님이 이모라 더 힘들고 4대 독자인 그에게 부모님께서 거는 기대가 너무 커서 혼자 나가서 살지도 못하고 모든 게 부담스럽다는 이야기들... 그런 이야기들을 하며 낮은 조명 속 담배연기로 인하여 살짝 가리어지기는 했지만 그의 눈이 촉촉이 젖어 있는 것을 보았기에 나도 모르게 눈물을 쏟을 뻔했었다. 너무 안쓰러웠고 안아주고 위로해 주고 싶었지만 어린 내가 할 수 있는 건 이야기를 집중해서 들어주고 공감해주는 것 밖에는 없었다. 그렇게 두 시간 정도를 그의 이야기로만 채워간 소중한 시간이었다. 늘 유쾌하고 밝았던 그였기에 그런 고민과 방황이 있었을 줄은 꿈에도 몰랐는데 그에 대해 더 많은 것을 알고 아픔을 감싸주고 싶게 되어버렸다. 오빠는 왜 나에게 그런 이야기를 한 걸까 라는 생각과 함께 전철을 타고 집으로 돌아오는 발걸음이 너무 무거웠다.

"다녀왔습니다. 엄마 나 오빠랑 카페 가서 이야기하느라 늦었어요"

"우리 딸 좋았겠네! 무슨 얘기를 했을까" 라며 웃으시는 엄마.

방으로 들어와 일기장을 꺼내어 그와 대화한 내용을 정리하며 되새기는데 자꾸 눈물이 흘렀다. 오빠가 너무 불쌍하다는 생각에 이불을 뒤집어쓰고 펑펑 울고는 집에서 누가 들을까 공중전화로 향했다.

"오빠, 그런데 왜 그 얘기를 한참 어린 나한테 하나?"

"그러게... 그냥 너에게 이야기하고 싶었나 봐. 부담스러웠으면 오빠가 미안해."

"아니, 부담스러운게 아니라 오빠가 너무 불쌍하잖아. 진짜 나쁘다 너."

그날은 신승훈의 "날 울리지마"라는 노래의 가사가 마음에 깊이 박혀버린 날이었다. 슬픈 영화속의 주인공이 되기도 싫었고 슬픈 노래로도 기억되기 싫었던 우울한 밤에 나는 한 가수의 목소리를 위로삼아 그 노래를 반복해서 들으며 밤새 울어 눈이 퉁퉁 부었던 것 같다.

『날 울리지마 슬픈 영화속의 주인공은 싫어

날 울리지마 슬픈 노래처럼 기억되긴 싫어

내 곁에 맴도는 그대의 모습은 우울한 하루

이젠 그대의 미소 느껴지지 않아. 그날 밤 그날처럼』

카피라이터와 전도사의 갈림길

그는 결국 자퇴한 것을 부모님께 들켜서 엄청 혼이 났다고 했지만 이미 벌어진 일을 어찌 할 수 없으니 계속 학원을 다녀 몇 년 후 디자인 학원을 졸업하고 충무로의 한 광고회사에 취업하였다. 나름 괜찮은 실력으로 카피라이터를 하며 나에게 본인이 디자인한 거라 보여주며 뽐내기도 하고 즐거운 회사 생활을 하였던 듯하다. 즐거운 회사 생활이었다는 게 짐작이 가는 건 교회에서 만나면 그의 친구들과 주로 회사 이야기와 광고 이야기들을 많이 했고 디자인한 스케치북을 가져와 자랑 아닌 자랑을 하였기 때문이다. 그 당시 유명한 광고 카피도 했으니 실력이 나쁘진 않았나 보다.

드디어 내가 스무 살이 되고 성인이 되었다. "오빠 회사 앞으로 오면 맥주 사 줄게. 한나랑 같이 와" 라는 말에 들뜬 마음으로 최대한 아가씨 같은 옷을 입고 한껏 꾸민 후 친한 교회 언니와 강남으로 오랜 시간이 걸려 갔지만, 아직도 나는 그에게 그냥 어린 아이였나 보다. 나는 숙녀로 보이고 싶었는데 그냥 예쁜 동생이 다였던 것 같다. 분위기 좋은 호프집에 가서 맥주 500CC를 두 개 마시니 그만 마시라고 제지를 당하고 "영은이는 술 그만 마시고 소시지 볶음 한 개 더 먹을래?" 하며 안주만 하나 더 시켜주었던 것 같다. 나도 술 잘 마시는데 못 마시게 하다니 치사하다는 생각과 서운함이 밀려왔다. 그렇게 아쉬운 첫 술자리를 뒤로하고 동네로 와서 나는 남자 사람 친구를 만나 괜한 화풀이를 했다. (그 친구는 영문도 모른 채 나의 화를 받아주었기에 이 글을 통해 미안하다고 사과를 해본다.)

그리고 얼마 후 그에게 여자 친구가 생겼다고 교회에서 어른들에게 들었다. 같은 광고일을 하는 여. 자. 친. 구...... 사. 내. 커. 플.

슬펐다. 너무 슬프고 슬펐다. 하지만 그의 여자 친구를 보니 질투는 났지만 한편으로는 마음이 놓였다. 그에게 잘해줄 것 같았고 솔직히 내가 더 예뻤다는 생각이 들었기 때문이다. 그래도 둘 다 디자인 쪽 일을 하다 보니 나에게 도움이 되는 일도 많았는데 그의 여자친구가 실력이 더 좋았던 것 같다.

내가 이십 대 초반에 직장인 극단에 들어갔는데 공연 포스터를 만들어야 해서 나는 일명 오빠찬스를 쓰기로 했다. 원하는 컨셉을 이야기해주고 부탁을 하니 흔쾌히 "당연히 해줘야지" 라며 바쁜 시간을 쪼개 직접 그림을 그리고 디자인도 둘이서 한 개씩 두 개나 만들어 보여주었다. 연출선생님께 보여드리고 마음에 드는 걸 선택했더니 "너희가 인쇄하면 비싸니까 인쇄까지 해 줄게" 라며 완벽하게 나의 기를 살려주기도 하였다. 그 당시는 지금처럼 컴퓨터로 디자인하는 것이 아닌 손으로 직접 그리고 수정해야 했고 인쇄비도 비쌀뿐더러 포스터 인쇄하는 곳이 광고회사 밀집지역에 모여 있어서 내가 하려면 정말 힘들었을지 모른다. 그렇게 도움을 받고 난 후 그의 여자친구도 미워하거나 질투하지 않기로 하였다. 분명 내가 그를 아직까지 좋아하는 것은 맞지만 일단 그에게는 사랑하는 사람이 생겼고 나도 성인이 되면서 어른들의 신기한 밤 문화 놀이들에 빠져 정신없이 놀고 친구들과 함께 하면서 잠시 잠깐씩 잊고 지냈던 것이 확실하다. 그래도 혼자 있거나 잠자기 전에는 그가 보고싶었고 생각이 났다. 가끔은 집전화가 아니면 통화를 할 수 없었기에 그의 퇴근 시간에 맞추어 집으로 전화해 나의 근황도 전하고 그의 안부도 물으며 일상을 전하곤 했다. 결국 좋아한다는 말, 보고싶다는 말은 십년 동안 일기장에만 수백 번 적어두고 한번도 말하지 못하고 삼키기만 한 채 그저 동생으로서 안부를 전하며 지냈다.

그의 결혼식 나의 결혼식 그리고 그 후

그렇게 밤문화에 빠져 술과 친구와 춤을 즐기고 있던 내 나이 스물두 살 가을에 그의 결혼 소식을 엄마에게 들었다.

"xx이가 밤 늦게 라도 전화 좀 하라더라. 결혼한다 던데 우리 딸 어떻게 하니!" 라는 청천벽력 같은 소리를 들어 버렸다. 청심환을 먹어야 할 정도로 떨림을 참으며 전화를 걸었다.

"여보세요?"

"오빠, 나야. 뭐야 결혼한다며?"

"그러게 오빠가 결혼을 하게 되었네. 결혼식 때 올 거지? 예쁘게 하고 꼭 와"

"근데 오빠, 내가 오빠 엄청 많이 좋아했던 거 알아? 알지? 결혼 진짜 하는 거 맞아?"

"몰랐네. 진작 얘기하지 그랬어. 그럼 오빠가 결혼 안 할 텐데......"

"장난해? 오빠 알고 있었잖아. 알면서 놀리냐? 에휴, 오빠가 좀 아깝긴 하지만 좋은 사람이랑 결혼해서 다행이라고 생각할게. 내가 그냥 포기하지 뭐. 결혼식 때 봐. 진심으로 축하해. 진짜 진짜 행복하게 잘살았으면 좋겠어. 그런데 솔직히 결혼식 가기는 싫다" 라며 아쉬움을 내비치며 씩씩한 척 전화를 끊고는 나는 또 울어버렸다. 바보같이 왜 그렇게 또 펑펑 울었을까?

"꼭 와~ 꼭 와야 해!" 그는 그의 결혼하는 모습을 나에게 보여주고 싶었던 걸까? 며칠동안 몸살에 시달렸던 걸로 기억한다. 이런 게 상사병인가 보다.

달력에 커다랗게 [오빠 결혼식]이라 표시를 하고는 매일 매일 날짜를 쳐다보고, 9월 27일 토요일 결혼식 당일에 휴가를 내고 제일 아끼던 예쁜 원피스를 입고 화장도 신경쓰고 그 전날 밤새 만든 사탕바구니를 들고 떨리는 마음으로 서울에 있는 결혼식장을 찾아갔다. 예복을 입은 그는 더할 나위 없이 멋있었고 그 옆에 손을 잡고 나란히 서 있는 신부도 아름다웠다. 정말 잘 어울리는 커플이라고 인정하지 않을 수가 없었다. 애써 밝은 표정을 지으려고 노력했지만 눈물이 나오려는 것을 참느라 나는 고개도 들지 못하고 진심으로 두 사람의 앞날을 축복해 주었다. 그가 사람들의 축하를 받으며 결혼 행진이 끝나고 제일 뒤에 있던 나에게 다가와 "영은이 왔구나. 예쁘게 하고 왔네!" 라며 그 자리에서 나를 안아 주었다. 그 때 사람들의 시선이 나에게 쏠리는 것을 느꼈다. 바보, 내가 우는 것도 모르고 신부가 있는 여기서 나를 안아주면 어떻게 하니? 역시나 그에게 나는 그냥 한참 어린 동생일 뿐이었다는 사실을 정확하게 알았다. 정말 나쁘지만 미워할 수 없는 사람.

그가 그렇게 나를 안아주었을 때 눈물을 감추려고 식사하고 가라는 어른들의 소리에도 약속이 있다며 도망치듯 나와 친구들과 밤새 술을 마셔 몸을 가누지 못해 친구에게 업혀 들어갔던 일이 너무 생생하고 지금도 마음 한 켠이 씁쓸하다. 엄마도 그 날은 등짝 한 대 때리고 이해를 해 주셨고 다행히 그 이후에 또 그런 적은 없었다. 그렇게 1997년 스물 두 살의 나는 십 년의 짝사랑을 떠나보냈다.

성인이 되면서부터 바쁜 직장생활을 하며 친구들과 밤새 노느라 정신이 팔려 교회를 거의 가지 않았다. 그래서 그가 잘 살고 있는 줄만 알았는데 엄마에게 소식을 들었다.

"XX가 회사 그만두고 신학대학교에 다시 입학했다더라. 어머니가 그렇게 고집을 부리시고 와이프도 전도사 하라고 설득해서 결국에는 그렇게 하기로 했다는 구나."

결국에는 자기 인생을 포기하고 잘 나가던 카피라이터에서 다시 늦깎이 대학생이 되어 졸업 후 전도사로 있던 교회에서 목회 생활을 시작하게 되었다.

"영은아! 오빠가 너 보고 싶다고 교회 좀 오래." 엄마의 그 말씀에 난 또 교회를 가게 되었다. 이젠 오빠가 아니라 전도사님이라 불러야 한다. 오랜만에 보는 그의 모습, 부부가 되어 함께하는 그의 모습이 어색하고 부러웠지만 티를 낼 수 없기에 간단히 안부만 전하고 다른 사람들과 어울려 대화를 하였다.

그리고 나에게도 사랑하는 사람이 생겼다. 그가 결혼하고 나서 3년 후 내 나이 스물 다섯 해, 내 생애 가장 예뻤던 그 때 나도 결혼을 했고 그도 내 결혼식에 와서 축하를 해주었지만 따로 교회로 가서 남편을 정식으로 인사를 시켰다.

"인사해. 내 첫사랑이자 목사님이셔." 라며 당당하게 말이다. 우리는 서로 그렇게 각자 결혼생활을 이어가고 있었다.

그리고 그는 전도사에서 정식 목사가 되어 한 교회에 책임자이자 한 집안의 가장으로서 살아가고 나는 여전히 직장을 다니면서 임신을 하고 아이를 출산하고 정신없이 시간이 흘렀다. 남편은 나와 동갑이었는데 어려서 그랬는지 철이 없어 그랬는지 나를 너무 힘들게 하고 속을 많이 상하게 해 힘든 결혼을 유지하던 중이었다. 너무 힘들어 대화 상대가 필요해 그에게 전화를 했다.

"잘 지내요? 오빠라고 불러야 해? 목사님이라고 불러야 해?"

"너까지 힘들게 하지 말자. 그냥 오빠라고 해"

부모님의 강요로 목사가 되었지만 그는 나에게 늘 목사님보다 오빠이자 친구로 나의 든든한 상담자가 되어 주었다.

"오빠, 나 남편 때문에 너무 힘들어. 매일 친구들이랑 노느라 새벽에 오고 집안일은 신경도 안 쓰고, 내가 비서실 출근해서 매일 졸고 있다는 게 말이 돼? 나 혼자 다하려니까 짜증도 나고 화도 나고, 나 같이 살기 싫은데 어떻게 하지?"

"영은아, 내가 너에게 오빠로서 이야기를 해줄까? 목사로서 이야기를 해줄까?"

"음. 오빠로서 해줘. 전화로 설교를 듣고 싶진 않아"

"그래, 나도 너에게 설교하고 싶지는 않다. 오빠 요즘 손에 주부습진 생겼다? 언니가 광고일을 계속 하는데 승진하고 연봉도 많이 받고 해외출장도 많이 가고 해서 내가 살림을 다해. 딸도 돌봐야 하고 아버지도 편찮으셔서 돌봐 드려야 하고 그러다 보니 주부습진이라는 게 생겨 버렸네. 나도 다시 광고일을 하고 싶지만 이미 이게 내 사명이라고 생각해서 내조만 하고 있어. 나도 요즘 힘들고 답답하지만 어쩌겠어. 받아들여야지. 우리 힘들지만 조금만 참고 힘내자."

"아니 근데 오빠! 내가 힘들어서 징징거리려고 전화한 건데 오빠가 더 힘들다고 하면 어떻게 하냐? 나쁜 오빠네!"

"아 미안, 하지만 오빠도 이런 이야기할 사람이 영은이 밖에 없잖아. 친구에게도 못하고..."

"그건 그래. 내가 있어서 고맙지?"

"당연히 고맙지. 아무래도 목사는 내 길이 아닌가 봐. 어릴 때부터 다니던 교회다 보니 어른들도 나를 무시하는 것 같고 말도 많고 탈도 많고 사람관계가 이렇게 힘든 줄 몰랐네."

"그래도 오빠 힘내. 오빠는 사랑하는 언니도 있고 예쁜 딸도 있잖

아. 내가 오빠에게 위로를 받고 싶어서 전화를 했지만 마음 넓은 내가 그냥 위로해 줄게. 나한테는 그냥 목사 하지 말고 오빠만 해. 내가 우리 엄마한테 다른 어른들 혼내 주라고 할게."

"권사님께는 말씀드리지 마. 괜히 신경 쓰신다. 영은이도 또 힘들거나 하면 언제든지 전화하고 잘 지내고 있어."

그렇게 그와는 1년에 2~3번 정도 긴 통화를 하며 서로를 위로해 갔고 나는 "같이 늙어가니까 나 이제 애 아니다" 라고 강조했다.

"오빠, 나 오빠 보러 교회로 갈게. 점심 사줘요." 하며 몇 년 만에 딸아이를 데리고 평일에 교회로 가서 본 그의 모습은 40대의 배 나온 아저씨였지만 그래도 멋있어 보였던 건 이루어지지 않은 짝사랑이라서 그런 것 같다.

"우리 영은이도 이제 나이 먹었네."

"나도 이제 서른이 넘었다고요. 뭐 아직도 고등학생인지 알아?"

"그래 진짜 우리 이제 같이 늙어가는구나. 어려서 까불던 녀석이 엄마가 되었어."

"근데 오빠 있잖아. 내가 오빠를 포기하길 참 잘한 것 같아. 나는 절대 목사 사모로 못살 것 같아. 알고 보니까 나는 되게 자유로운 영혼인 것 같아. 오빠를 책임져 줘서 언니에게 너무 고마워." 하며 깔깔거리고 웃기도 하였다.

그렇게 잘 지낼 것 같던 그는 억지로 하게 된 목사로서의 길을 힘들어하다 그의 아버지께서 돌아가신 후 결국 목사직을 내려놓고 지방 어느 곳에 선교사로 내려가 바쁘지만 마음은 편하게 지낸다고 했다.

그 후에도 몇 번 통화 한적이 있지만 그 때마다 전과는 다르게 그냥 짧게 안부만 전했다.

그리고 그의 어머님도 돌아가시고 연락이 되질 않았다. 그의 누나도 동생도 모두 연락이 되지 않아 걱정도 되고 궁금해 수소문했지만 찾을 길이 없었다. 연락이 되지 않은 지 벌써 7~8년 정도의 시간이 흐른 듯하다. 너무 궁금해서 엄마께 연락되는 사람 좀 알아봐 달라고 말씀드렸지만 아는 사람이 한 명도 없다고 한다. 무소식이 희소식이라니까 잘 살고 있겠지만 그래도 가끔 보고 싶고 안부가 궁금하다.

풍부한 감수성과 웃는 모습이 예쁘고 나에게 늘 따뜻했던 내 짝사랑이자 첫사랑은 그렇게 끝이 났지만 내 마음에는 항상 아름답고 감사한 사람으로 남아있다. 너무 오래된 기억이라 내 기억이 정확하지 않을 수도 있지만 나는 그냥 내 기억을 믿고 앞으로도 더 오랫동안 나의 짝사랑을 한편의 동화처럼 간직하고 싶다. 이 글을 쓰는 지금 너무 행복하고 생활과 마음의 여유도 생겨 하고 싶은 일을 하며 살고 있는데, 그 사람은 어디서 무엇을 하며 살고 있을까? 여전히 미소가 아름답고 따뜻하겠지? 삶에 찌들어 주름이 많이 생기고 얼굴에 그늘이 지지는 않았을 거야. 배도 많이 나오고 나이에 맞는 멋진 중년의 모습이겠지만 머리가 벗겨지지는 않았겠지? 많은 생각을 하게 된다.

그가 어떻게 살고 무엇을 하던 누구보다 행복하고 따뜻한 마음 그대로를 간직한 채 잘 살기를 소원한다. 그리고 완성하지 못했던 "쓰다"의 대본을 언젠가는 꼭 완성하고 우연히라도 꼭 한번 다시 만날 수 있기를......

[...... 쓰다 Ending]

어릴 적 우리의 첫사랑은 이루어지지 않았지만

우리들은 청춘을 나름 아름답게 보냈다.

서로 있는 자리에서 삶을 즐기며

각자 해야 할 일을 하며,

우린 그렇게 나이 들어 가고 있었다.

기억은 아플 수 있지만

추억은 아름답게 간직할 수 있기에

그냥 아름답고 행복했던

추억으로 간직하기로 하였다.

P.S. 2024년 2월.

J는 우리가 함께 갔던 영혼이 깨끗한 거지를 기억하지 못할 것이다.

1992.10.31. J

사계절

김소현

김소현   큰 키의 시원한 걸음걸이를 지닌 작가는 사회공헌분야에서 일하고 있
다. 더 나은 사회와 삶을 위해 고민하고, 긍정 에너지와 메세지를 전하
고자 가장 평범한 일상을 산문과 시로 표현하였다. F 감성이지만 간혹
T로 오해받는 작가는 간결하면서도 따뜻한 문체를 구사하여, 독자의
마음에 잔잔한 울림과 힐링을 선물한다.

이메일: jin0465@naver.com

〈프롤로그〉

　몇 년간 연락이 닿질 않던 친구에게서 온 부재중 연락에 난 순간적으로 몹시 흥분했었다. 걱정과 반가움이 혼재된 마음을 추스르고 만나서 이야기하고자 약속 장소로 나가서는 그간 못다 한 근황을 나누었다. 개인적으로 제발 그것만은 아니길 바랐건만, 일 년간 어머니를 간병하며 힘든 시간을 보낸 걸 알게 되었다. 어머니의 마지막 가는 길을 배웅하고서는 한동안 애도의 시기를 보내다가 다시금 힘내기 시작하면서 내게 연락을 준 것이었다. 잘 버텨 준 친구에게, 첫 연락이 나였던 게, 정말 고마웠다. 친구는 어머니와 보낸 마지막 일 년이 얼마나 소중했는지를 이야기하며, 계절별 추억들을 하나씩 들려주었다. 사소하지만 평범한 일상이 친구의 기억 속엔 얼마나 따뜻하게 깊숙이 남아있던지 나 자신도 봄, 여름, 가을, 겨울을 되돌아보게 되었다. 문득, 나의 사계절은 어땠을까? 평범함이 주는 게 무엇일까? 물음과 함께 내 이야기를 진솔히 담아보고자 펜을 들었다.

　이 책은 익숙하고 지극히 일상적인 생활 속 이야기를 봄, 여름, 가을 그리고 겨울, 사계절로 나누어 작가의 이야기와 여운을 주는 시를 담고 있다. 가족과 일, 사랑, 성장 등 이 책을 읽는 독자의 마음에 울림을 주고, 바쁜 생활 속에서 잠시나마 힐링하는 시간이 되길 바란다.

2024년 2월
김소현

봄

무한도전

첫날이 밝았다. 여기저기서 해돋이를 보러 바다로 가거나, 인근 높은 산을 오르는 등 아침잠이 많은 사람들도 이날만큼은 열심히 부지런 떨기 바쁘다. 지평선 경계를 붉게 물들이며 떠오르는 해를 향해 우리는 두 손 모아 안녕과 건강을 진심으로 기도한다.

새로운 시작과 출발은 매년 반복되지만, 마음가짐을 다잡게 하는 신기한 마술을 부린다. 2024가 큼지막하게 적혀있는 다이어리를 사게 하고, 첫 페이지에는 올 한해 이루고 싶은 목표를 월별, 기간별 버킷리스트도 나름 촘촘하게 계획하도록 한다. 주어진 한 해가 아직 많이 남아 있다는 생각에, 이 시기는 무엇이든 목표한 바를 다 이룰 수 있을 것 같은 무한도전 정신과 열정 에너지가 온몸을 관통한다고 할까? 나 역시도 신정에는 반 이상 남아 있을 다이어리의 가장 첫 장에 다짐을 작성하고 반드시 이루리라는 거대한 포부를 다진다.

옳다구나,
한치의 의심 없이 1,2,3,......20
쭈욱 써내려간다.
쓰는 대로 이루어지리라!

무~~ 한 도전!
말하는 대로 실행하리라!

목표치까지 가까스로 도달하리라!

'끝내, 해냈구나! '
한 해가 저물 시점에 당당히 말하리라!

자, 이제
용처럼 힘찬 해를 시작해 볼 텐가?

벚꽃나들이

매년 3, 4월이면 남부지역에서 도미노처럼 벚꽃이 줄지어 중부지역으로 피어오른다. 사랑하는 가족과 연인, 친구들이 삼삼오오 모여, 벚꽃 만개 일에 맞춰서 전국 방방곡곡을 여행하곤 한다. 나도 벚꽃이 예쁘게 피는 최애 지점이 있는데, 첫 직장 연수원이다. 연수원은 입구부터 교육 장소로 들어가기까지 일직선으로 쭈욱 길게 길이 나 있다. 길 양쪽으로 벚나무가 우거져, 벚꽃이 피면 마치 벚꽃 동굴과 같은 웅장함을 준다. 누구나 그 길목을 지나갈 때면 길가에 차를 세우고 사진을 찍거나, 비상등을 켜고 서행으로 올라가면서 그 풍경에 흠뻑 빠지는 게 당연할 정도이다. 최애 장소임에도 코로나가 극심했던 시기에 한동안 가지 못해 아쉬웠었다. 대신, 동네 아파트에 피어난 벚꽃을 보며 주민들이 즐기는 모습을 유심히 관찰한 적이 있는데, 제각각 벚꽃을 즐기는 모습이 인상적이었다.

동네 아파트 단지에 활짝 핀 벚꽃
누가 누가 더 잘 자라서 예쁘게 폈는지 내기하기 바쁘다.

만개한 벚꽃 거리에서
연인은 연분홍 벚꽃과 함께 서로의 사랑을 다시금 확인하고,
가족은 다시 오지 않을 우리 아이 봄 성장기를 카메라에 담고,
노부부는 꽃이 피는 그 순간을 눈에 담아 추억으로 간직하려 한다.

그들은 그렇게 벗꽃과 계절의 아름다움을 제 방식대로 남긴다.

저 멀리 홀로 걸어가는 이도
사랑하는 이와 함께 걸을 날을 그리며
아쉬움으로 제 갈 길을 간다.

눈빛 시그널

봄이 되어 꽃이 피고, 기온도 올라 날씨도 따뜻해지면 가족, 연인들은 추운 겨울 동안 못다 한 야외 활동이 많아진다. 이 무렵이면 새로운 인연을 만나는 자리도 꽹장히 활발해지기도 한다. 살랑거리는 따스한 봄바람과 식물의 싹 트임이 사람에게도 여유와 열린 마음을 싹트게 만든다. 그만큼 입춘을 지나 봄이 주는 정기는 무엇보다도 크다. 특히, 나는 사람을 만날 때, 그 사람의 눈빛을 꽹장히 중요하게 본다. 각자 중요하게 보는 요인들이 다 있겠지만, 나에겐 눈빛이 그러하다. 사람 인상에 따라 눈빛이 따뜻할 수도, 매섭기도, 차갑기도 보일 수 있지만, 내게 인상은 그저 어떤 분이신가 알아가고 싶은 첫 대문을 열고 들어가는 출입문일 뿐이다. 인상을 능가하는 눈빛이 주는 신호는 신체 호르몬과 신경이 복합적으로 작용하기에 거짓말을 하지 않는다는 나만의 믿음이 있다.

새로운 사람을 만났다.
어색한 기류 속, 서로 눈을 보며 웃었다.
순간, 상대 눈은 정처 없이 굴러가고,
눈빛, 동공 흔들린다.
'긴장하셨구나!'

스몰톡이 이어질수록

내 눈을 피하지 않고
눈빛도 편안해 보인다.
'이제 더 깊은 이야길 해보자!'

또렷해지는 눈빛
점점 커지는 동공
지금 나와 보내는 이 시간
'호감도가 상승하고 있구나!'

기다리던 음식이 나오고
고개 숙여 파스타를 말아 입안으로 넣으려는데,
이상하다.
상대는 움직임이 없다.

고개를 들어 얼굴을 마주하는 찰나
딱 들켰다!

동공이 풀려 멍하게 바라보고 있는 그 눈빛
이건 분명하다.
'넌 내게 반했어'

눈빛은 거짓말을 못한다.

숨기기 어렵다.

그렇게 우린, 마음을 확인했다.

스무 살, 첫날 밤

　스무 살, 부모님 곁을 떠나 대학 생활과 함께 자취를 시작하게 되었다. 홀로 자는 첫날 밤, 태어나서 이런 어둠은 처음 느껴봤는데 너무나도 깜깜하고 어두운 나머지 방 불을 끄고는 한 걸음도 이동하지 못한 채 다시 버튼을 눌렀다. 본가 내 방은 불을 꺼도 창 밖으로 가로등 불빛이 훤하게 들어와서 마치 간접조명을 켜놓고 자는 듯했지만, 자취방은 창문이 있음에도 깜깜하다... 그 순간 엄마가 두고 간 빨간색 투박스러운 플래시 등을 방바닥에 놓고 천장을 향해 쏘아 켰다. 방 한가운데는 주황빛이 강렬하게 천장을 뚫을 듯 빛나서 무서움을 덜었고 그제야 내 방에서 자는 안도감이 들었다.

　그리고 자취방의 불을 다 끄고 깜깜했던 불과 몇 초 그 순간 내 머릿속을 강하게 스쳐 지나가는 생각이 있었는데, 이제는 부모님 그늘에서 벗어나 온전히 독립된 주체로 살아가는 일에 익숙해져야 할 때가 왔구나! 라는 것이었다. 성인이 되어 자유 의지로 생각하고 스스로 의사결정을 할 수 있는 기대심과 이에 따른 결과도 온전히 책임져야 한다는 것에 차근히 부모님으로부터 정서적인 독립심은 키워가야겠다고 다짐했었다. 나의 스무 살 새 학기 첫날 밤은 그렇게 깊어져 갔다.

　새내기, 새학기, 대학생
　새롭게 펼쳐질 세상 모든 게 설렌다.

홀로서기, 독립, 자유
익숙지 않은 환경이 주는 두려움도 있다.

이런들 저런들
스무 살 인생, 양가감정을 맘껏 누리자
그 속에서 삶의 균형을 터득한다면
이보다 더 중한 배움이 어디 있으랴

여름

그 여름날의 강, 밤

대학교를 휴학하고, 다채로운 경험을 하고 싶어서 무작정 영국으로 떠났다. 학기 중에 나름 모아둔 돈과 부모님의 지원을 받아, 서유럽 동유럽 일부 국가를 여름철에 다녀왔었다. 그 중 가장 기억에 남고 인상적인 국가는 스페인과 벨기에였는데, 그 이유는 가장 그 나라다운 고유문화가 잘 녹아있다는 생각이 들었기 때문이다. 특히, 벨기에는 역사적으로 네덜란드의 지배를 오래 받은 소국으로 우리나라 민족성과 유사성이 느껴지는 부분들도 있었고 유년 시절에 동화책 속에 나올법한 자연 풍경도 가히 인상적이었다. 아직도 머릿속에 그림처럼 그려지는 게 해가 길어진 저녁 9시 무렵, 강가에 누워서 노을 지는 풍경을 넋 놓고 바라봤던 그 순간이다. 무르익는 대화 속에서 해도 저물고 하늘에 뜬 별들을 보게 되었는데, 순간 너무나도 깜짝 놀랐었다. 이는 마치 폭죽이 하늘에서 온 사방으로 터지면서 아래로 쏟아져 관객들 가까이 떨어지듯, 벨기에의 여름밤 하늘은 손을 뻗으면 별이 잡힐 듯 말 듯 굉장히 가깝게 느껴졌었다. 우린, 풀과 별을 이불 삼아 벨기에 캐러멜 와플과 국민 맥주 주필러를 마시며, 늦은 밤까지 포근하고 따뜻한 이야기를 나누었다.

등이 따뜻하다.

여름 온기를 품은 풀이 이불이 되어 준다.

얼굴이 선선하다.

강바람은 가슴을 타고 목을 스쳐,

코 끝까지 닿는 미풍 선풍기가 되어 준다.

귀가 시원하다.

빠르지도 느리지도 않는 강물 소리,

규칙적인 리듬이 귓 속으로 파고들며 청소기가 되어 준다.

손 끝이 간질간질하다.

강가에 누워 본 벨기에 밤하늘 별들은

와르륵 곧 쏟아내릴 듯 밀도 높게 촘촘하고

뻗으면 잡힐 듯 말 듯 꽤나 가깝다.

온 몸이 그 밤에 취하자,

입도 가만히 있을 쏘냐?

'저 별 따다 줄까?'

샐리의 법칙

살다 보면 갑작스럽게 연달아서 일이 잘 풀리는 경우가 있기 마련이다. 이러한 현상을 '샐리의 법칙'이라고 한다. 내겐 봄에서 여름으로 넘어가는 그 시기가 샐리의 법칙 '구간, 시기'와도 같다. 그 당시는 인지하지 못했는데, 되돌아보니 지금껏 살아오면서 개인적으로 좋은 일들이 이 시기에 참 많이 연이어 발생했었다. 학창 시절, 내가 기대했던 어학성적이 나오지 않고 몇 차례나 유사 구간을 넘지 않았다가, 이 시기에 친 시험에서 오픽 AL을 받았고, 대학교 성적도 2학기보다 1학기 성적이 평균적으로 더 우수했었다. 공모전 수상도, 첫 취업도, 이직 기회도, 연애도 다 이 시기에 좋은 결실을 보았다. 이처럼 좋은 일이 연거푸 잘 이뤄질 때면 좋으면서도 인생사 새옹지마라고 다른 내면엔 안 좋은 일이 빨리 오지 않았으면 하는 불안감도 들기 마련이었다. 그래서일까? 어느 순간부터 나는 내 경험치에서 오는 믿음이 생겼다. 일이 일어나는 데는 이유가 있겠거니, 그리고 이전에 잘 안되었던 것도 이 시기에 도전하면 되겠다는 부적 같은 마음이다. 어찌 보면 이 믿음은 내게 실패했어도 다시금 노력해서 시도하게 하는 근성을 선물해 준 게 아닐까 싶다.

바로 오네
대기 없이 지하철 탑승, 오호

바로 바뀌네

신호기다림 없이 건너기, 앗싸

바로 들어가네

다른 지원자 지각으로 내가 먼저

자신감 있게, 아자

살다 보면 예견치 않게

막힘 없이 술술 잘 풀릴 때가 있다.

좋은 기운과 에너지가 올 때면

이 순간과 기회를 잡을 준비도 되어있어야만 한다.

바로 발표하네

귀하는 우수한 인재임에도.....

아, 탈!

인생사 새옹지마,

하나를 얻으면 하나를 내놓는 격인가?

털어버리자,

그리고 다시 해보자!

노을 지는 여름밤 산책

　나는 산책을 굉장히 좋아한다. 동네 뒷산의 완만한 둘레길이나, 숲과 바다, 호숫가를 걷는 산책을 참 좋아한다. 달리 보면 자연 풍경을 즐기면서 걷고, 함께하는 이와 걸으면서 깊어지는 대화를 좋아하는 게 더 크다. 특히, 여름날은 해가 지는 시간도 늦어지고, 사랑하는 이와 노을 아래 덥지 않은 날씨에 산책하며 깊이 있는 토크를 나누기 적기라고 생각한다. 사랑하는 이와 밖에서 마시는 커피 한 잔과 벤치에 앉았다 걷는 것을 반복하며 다양한 주제로 인생관, 결혼관, 가치관을 나누고, 미래 발전을 향해 사랑의 깊이를 더하는 게 나에겐 참으로 가치 있는 시간이다.

　한 손엔 커피,
　한 손엔 손 깍지
　우린 호숫가를 걷는다.

　두서 없는 핑퐁핑퐁 대화 속
　서로의 보폭을 맞추며 걷는다.

　해가 넘어간다.
　터질 듯 불그스름한 노을빛이
　지평선을 더 넓게 끌어 안는다.

물드는 노을아래, 벤치에 앉아
최근 서운했던 상황과 감정을 나누고
점점 무르익는 대화 속
끌어 앉는 포옹으로 사랑의 깊이를 더해갔다.

돌아오는 길,
그렇게 우리는
오른발, 왼발도 발 맞춰서 걷게 되더라.

가을

기다림의 매력

가을이 되면 떠오르는 사람이 있다. 나의 20대에 추억을 함께한 연인이다. 두 살 오빠였던 그는 한마디로 '너드남' 같은 전형적인 공대남자에 감정 표현도, 기복도 크지 않았고 조금은 답답한 선비 같은 사람이었다. 30대에 만났더라면 내가 적극적으로 표현하면서 결혼 상대자로 점 찍지 않았을까? 하지만, 연애가 미숙했던 20대 초반에는 참 재미없고 센스가 없는 연인이란 생각이 더 컸었다. 지금에서 생각하면 내가 내 복을 찬 격이나 다름이 없다. 본인 의사보다 내게 맞춰주려 했고, 뭘 해도 '그럴 수 있지'하며, 기다려 줄지를 아는 오빠의 이 태도는 날 많이 아끼는 그만의 사랑 표현이었다. 이게 연인 사이에 주는 안정감과 신뢰감 그리고 굉장한 매력이란 걸, 그때는 잘 몰랐었다. 무던하고, 흔히 연인 사이의 몽글몽글하고 꽁냥거림 속의 설렘이 덜하다고 느껴서 그랬던 걸까? 하지만, 다양한 사람과의 만남을 통해 성숙해지기도, 때론 상처받기도 하면서 30대가 된 지금, 이게 얼마나 중요한지 비로소 체감하며 터득하게 되었다. 그래서 지인들 연애 상담을 할 때면, 단조롭더라도 필히 안정감을 주는 상대를 만나라고 나는 일관되게 이야기하곤 한다.

안정감을 주는 사람은
내 마음을 편하게 해주는 사람

마음을 편하게 해주는 사람은
나를 배려할 줄 아는 사람

배려할 줄 아는 사람은
섬세한 관찰력과 생각이 유연한 사람

관찰력과 생각이 유연한 사람은
선을 지키며 여유롭게 기다릴 줄 아는 사람

결국, 기다릴 줄 아는 사람은
연인의 마음 온도와 속도를 같이 맞춰갈 준비가 된,
내면이 건강한 사람이다.

수확의 계절

    요즘, 우리 부모님께선 작물을 키우는 재미에 푹 빠지셨다. 제2의 인생을 맞이하신 부모님은 자연과 함께 할 수 있는 놀이를 찾다가 작은 평수의 땅을 매입해서 고구마, 상추, 땅콩, 포도 등 참으로 다양한 작물을 키우고 계신다. 일명, 우리 가족은 아버지의 별명을 따서 '알콩 놀이터'라 부른다. 부모님은 제 자식 자랑하듯 작물이 하루하루 자라는 모습을 사진으로 찍어 카톡으로 보내주시는데, 나날이 달라지는 크기나 시간이 지나서 열매가 달릴 때면 신기하다. 작물도 결국 생명이 있는 식물이다 보니, 사람의 관심에 따라서 수확물 상태가 달라짐을 확연히 볼 수 있다. 그런데, 사람만큼이나 수확물 상태를 기막히게 알아채는 이들이 있는데, 바로 참새와 쥐, 두더지이다. 얼마나 단맛만, 잘 익은 열매만 골라서 먹는지 하루는 밭에 갔더니, 아버지께선 작물 일부분을 그물망으로 쳐놓아 경계를 구분해 둔 것을 보았다. 우리 가족의 건강한 먹거리를 위해 힘들이는 것만큼 우리가 먹을 양만은 관리하고, 그 외 부분은 동물들을 위해 열어두신 거였다. 그래도 '수많은 밭 중 굳이 우리 밭에 놀러 왔는데, 먹을 게 좀 있어야지' 하며 말을 덧붙이셨다. 그래서일까? 오면 참 야무지게 먹고 간 흔적을 쉽게 볼 수 있었고, 심지어 작년에는 부모님 밭 농막 한쪽 모퉁이에 새가 둥지를 틀어 알을 낳고 기르던 신비한 모습도 볼 수 있었다.

야들아 놀러오니라
고구마, 땅콩도 캐고
포도도 따고
수확의 즐거움을 맛보자구나

니들도 냉큼 오니라
고구마, 땅콩도 먹고
포도도 먹고
배불리 먹고 싶지 않으련?

다만, 하나만 약속해다오
우리 자식들 오면 따고 먹을 수 있는 건
건드리지 않는다면야
기꺼이 출입을 허락하노라

저녁 8시, 한강

가을이면 퇴근 후, 저녁을 먹고 8시가 되면 러닝 복을 입고 한강으로 나간다. 난, 달리는 걸 좋아하는 편은 아니었다. 사회 초년생에도 운동을 즐기진 않았다. 하지만, 이제는 운동은 필수이고, 운동 후 개운한 몸과 좋아지는 기분을 즐긴다. 일하다 받은 스트레스도 운동 후에는 별것이 아닌 거처럼 느껴지고, '방법이야 다 있다'라는 생각에 마음도 편해진다. 또, 운동 후, 샤워를 마치고 이불에 들어가서 자기 전에 뒹굴뒹굴하다 깊은 숙면을 하게 되는 그 과정도 정말 행복하다. 특히, 자기 직전 간단히 생각 정리를 할 때면 집중력도 높아지고, 가장 좋은 건 운동으로 인해 달라지는 내 체형과 건강이다.

8시, 한강을 가면 동네 주민부터 러닝 크루팀, 연인간 자전거타기 등 다양한 사람들이 많이들 나와 있다. 강을 따라 달리다 보면 숨이 가빠지고, 선선한 강바람을 맞으면서 숨을 고르다 보면 점점 나만의 페이스도 찾게 된다. 달리는 거리가 길진 않지만, 바람을 타고 뛰는 그 기분이 좋아서 가을밤 러닝에 중독이 된다.

달리기 시작하자,
강바람은 내 온 몸에 흐르는 땀을 식혀 준다.
꽤 선선하니 가을 강바람 좋구나!

숨이 차오른다.

아직 조금 더 가야 한다.

멈추면 흐름이 끊길 것 같아 망설이는데

때마침,

바람이 내 등 뒤에서 밀어 주 듯

페이스 메이커가 되어 준다.

끝까지 완주한 내게 강바람은 속삭인다.

'잘했어! 내일 또 올 거지?'

겨울

겨울 출장길

나는 9시부터 오후 6시까지 주 5일 일정한 패턴으로 일하는 직장인이다. 사회인으로 발 내딛기 전에만 해도 드라마, 영화 속에 나오는 다채롭고, 역동적인 일을 하고 싶다는 막연한 생각을 했었다. 그러다 직장이라는 큰 울타리에 들어서자, 현실은 그게 아님을 알았고, 반복되는 생활에서 무료하기도, 삶의 의미를 찾으려고 철없이 몸부림치기도 했었다. 어떻게 우리 부모님은 이 지루하고 반복되는 직장에서 일평생을 보낼 수 있었을까? 부모를 넘어 사회 선배로서 존경심이 들었다. 그런데, 시간이 지날수록 나도 이 삶에 젖어 들게 되었고, 안정적인 생활 속에서 회사와 일, 함께 일하는 동료들과 보내는 소소함이 주는 즐거움을 알게 되었다. 무엇보다도 가을에서 겨울로 넘어갈 시점에는 전국 출장이 잦은 편인데, 그럴 때면 일이지만 소풍을 가듯 설레는 감정이 앞선다. 고속철도를 타고 이동하기에 날씨도 좋고, 현지에서만 먹을 수 있는 맛있는 음식, 지역 명소 등 주말 출장을 갈 때면 업무 종료 후에 연이어 개인적인 시간도 보내곤 한다. 물론, 출장이 다 이렇게 이상적인 것만은 아니다. 하루는 부산 왕복으로 당일 출장을 간 적이 있었는데, 그날 서울행 고속철도에 오른 후, 창에 비친 내 모습이 너무나도 힘들어 보여서 안쓰러웠던 기억도 있었다.

어제도, 오늘도,
서울역으로 출근했다.

어제는 대구,
오늘은 부산,
여기서 퇴근했다.

멀고 먼 나 홀로 출장 길은
때론 설레기도,
때론 걱정되고,
그리고 참 고되다.

그래도 늦밤까지 힘낼 수 있는 건,
KTX 자리에 앉아 창에 비친 모습을 보면
'오늘도 수고했어!'
눈빛으로 응원하는 네가 곁에 있어,
내일도 출장길에 오른다.

그 해, 따뜻한 크리스마스

스무 살, 기말고사를 치고 나와 생일이 똑같은 내 절친과 7일간 싱가포르와 말레이시아로 여행을 떠났다. 자유여행에 대한 로망으로 비행기와 숙소를 다 손수 알아보고, 여행을 준비하는 모든 과정이 무척이나 즐거웠다. 특히, 여름 옷차림으로 크리스마스를 보낸다는 이색적인 경험도 나름 기대되었다. 하지만, 현실은 캐럴이 없는 길거리와 휴무인 상점들로 우리나라 크리스마스 광경과는 완전히 달랐다. 우린 아쉬움을 뒤로 한 채 말레이시아로 국경을 넘었고, 친구의 바람대로 게스트하우스로 향했다. 그곳에는 책을 쓰는 캐나다 작가부터 한 달간 홀리데이 온 프랑스 항공정비사, 동남아를 여행 중인 이탈리아 친구까지 다양한 국적의 여행객들로 크리스마스 파티 준비가 한창이었다. 난, 피곤했던 나머지 침대에 누워 쉬고 있는데, 이탈리아 친구가 우리 방으로 들어와선 이불 밖으로 나온 내 엄지발가락을 가볍게 잡고 흔들며 날 깨웠다. 눈을 떴을 땐, 파마머리에 윤기가 흐르는 한 남자가 내 눈앞에 들어와서 소릴 질렀고, 복도에서 여행객과 이야기 중이던 내 친구는 방으로 달려왔다. 잠이 덜 깬 채, 막무가내인 이탈리아 친구에게 이끌려 1층 파티장으로 이동해서는 아쉬움이 남았던 싱가포르 여행 몫까지 신나게 그 파티를 즐겼다. 손과 발, 표정으로 소통하고 파티문화가 익숙하지 않던 나와 친구에게 이탈리아 친구는 동네 오빠처럼 다정하게 많은 걸 챙겨줘서 고마웠다. 이튿날 체크아웃을 앞두고 이탈리아 친구에게 마지막 인사를 하려는데 이미 수영하러

가고 없어서, 로비 호스트에게 나의 이메일을 적은 엽서를 전해달라는 부탁과 함께 나와 친구는 숙소를 떠났다. 귀국해서 메일함을 열었을 땐 이탈리아 친구가 보낸 반가운 메일이 있었고, 우린 꽤 오랫동안 e-pal 친구가 되어 서로의 일상을 나누곤 했었다. 가끔, 시간이 맞을 때면 웹캠을 통해 화상 대화도 하고 내겐 새로운 경험과 넓은 세계로 이끌어 준 스윗했던 친구였다. 이후, 각자의 일로 바빠지면서 자연스레 연락이 끊어졌지만, 스무 살의 여름 크리스마스는 십여 년이 지난 지금도 따뜻하고 고마운 추억으로 남아 있다.

재즈풍 캐럴이 흐르고
낯선 공간 속 태연한 척 리듬 타는 우리,
로봇처럼 삐걱하는데
그의 손이 부드러운 윤활유를 더해 준다.

매일, 편지가 오갈수록
익숙한 가상 속 깊어지는 우리 우정
순간 말문이 막혀 멈칫하는데,
그의 말이 표현력을 더해 준다.

더 넓은 세상을 알려 준 그가 참 고마웠다.
우리는 그 해도, 다음 해도, 따뜻한 크리스마스를 함께 했었지...

'보고 싶다, 어떻게 지내려나?'

2023년, 매서웠던 그 겨울

작년 한 해, 회사에 악재가 많았다. 정확하게는 모회사지만 우리 회사와 밀접하게 연계되어 있는 사업들과 이해관계로 인해 우리도 적지 않은 영향을 받았고, 수장의 리더십이 얼마나 전사적으로 미치는 영향력이 큰지 뼈저리게 깨닫는 한 해가 되었다. 결국, 희망퇴직을 받아야만 하는 분위기가 조성되었고, 우리가 모시던 임원들도 결국 조직을 떠나게 되면서 작년 연말과 올해 1월 말까지 그분들의 공로에 감사함을 표하는 송별회가 잦았다. 그리고 개인적으로 유독 감사했던 분이 있는데 굵직한 목소리 속 경쾌한 톤으로 웃으며 내 이름을 반갑게 불러주셨던 상무님이시다. 매번 주인의식을 가지고 조직을 키워갈 수 있는 장기적인 시각으로 일을 바라보는 자세와 인간관계 처세 등 삶과 연차에서 오는 깊은 조언을 아낌없이 해주셨었다. 회사에 대한 애정이 크셔서 악재 속에 떠나야 하는 이 상황이 애석하고 속상해 하셨다. 시작이 있으면 끝이 있는 게 당연한 이치이지만, 작년 겨울은 조직에 부는 칼바람으로 인해 춥고 눈시울도 붉어지는 기억하고 싶지 않은 겨울이었다.

눈보라 부는 겨울,
흰 눈이 하나 둘 나무를 뒤덮어,
눈사람되어 입구를 지킨다.

칼바람 부는 회사
흰 봉투가 하나 둘 책상에 쌓이더니,
사무실을 꽉 채웠다.

눈사람아, 눈보라 막아줘서 고맙구나!
선배님, 노고와 헌신에 감사합니다.

결코, 잊지 않겠습니다.

봄, 여름, 가을, 겨울

요즘 들어 많이 드는 생각은 '가장 평범하게 사는 게, 결코 쉬운 게 아니구나!' 라는 것이다. 어른들은 종종 '남들 하는 거만큼 평범하게 사는 게 최고다.' 말하지만, 그럴 때면 난 속으로 한 번 사는 인생인데 남들만큼 한다면 무슨 재미와 활력이 있을까? 생각했던 시기가 있었다. 그런데 어른들 말씀은 인생 명언이고, 뼈저리게 체감하게 되는 순간이 오게 되더라. 가장 보통의 흔한 일, 평범함이 최고라는 건, 가까이에 일어나서 당연하게 여겨지는 일들을 제 나름의 기준과 여유를 가지고 바라보며 해석할 수 있다는 게 아닐까?

어느덧, 사회 일원으로 뿌리를 견고히 내리는 30대가 되었다. 해가 거듭될수록 도돌이표 같은 평범한 현실 속에서 소소한 즐거움과 행복, 계절 변화가 알려주는 미묘한 신호의 헤아림도 점차 깊어짐을 느낀다. 작년에 보지 못했던, 생각하지 못한 부분이 올해는 또 새롭게 보이게 되는 게, 참 신기하지 않은가? 결국, 경험의 누적치와 삶을 입체적으로 바라보고 생각할 수 있는 여유와 태도가 스스로에겐 또 다른 활력이 되었으리라 생각한다. 이처럼 사소하지만, 나만의 시각으로 바라본 나의 이야기와 시를 통해 내겐 일상이지만 또 누군가에겐 아직 접해보지 못한 경험이나 감정, 반대로 지극히 공감이 가는 이야기가 되었길 바란다. 독자만의 힐링 포인트와 즐거움, 행복한 추억을 떠올려 보는 가치 있는 시간이 되었으면 좋겠다.

만개하는 봄이 오면 설레는 맘으로 여름을 기다리고
뜨거운 여름이 오면 깊어지는 사랑으로 가을을 기다린다.

노을빛 드는 수확의 계절이 오면
사람도, 동물도 건강하게 겨울을 날 준비를 하고,

포근하고 추운 겨울이 오면
무탈했던 한 해를 감사하며,
봄, 여름, 가을, 겨울
그렇게 계절은 또 새로운 듯 익숙하게 돌아온다.

첫사랑 = 짝사랑

백수빈

백수빈　책을 좋아하는 평범한 대학생. 평소 다양한 장르의 책, 개중에서도 소설을 주로 즐겨 읽고 소감을 작성하는 취미가 있다. 가슴 시리게 슬프고 감동 어린 사랑 이야기를 접하는데에 많은 시간을 할애한다. 해당 작품에서 작가는 짝사랑이자 첫사랑을 주제로, 첫 소설을 집필하는데에 도전한다.

블로그: https://m.blog.naver.com/bin32444
이메일: bin32444@daum.net

겨울은 참 시리다. 아프도록 시리다. 너도 겨울을 닮아 있다. 분명 기다리다 보면 봄이 올 줄 알았는데, 하염없이 기다려도 아직 봄은 멀기만 하다. 봄이 내게 오다 중간에 길을 틀어버린 것인지. 분명 내게로 오다 이미 길을 튼 듯하지만, 난 아직도 널 간절히 기다린다.

//

날이 유독 포근했다. 어쩌면 좀 더웠지만, 너를 처음 만난 그날의 나만이 느꼈던 더위일지도 모른다.

"사랑, 사랑, 사랑! 내일 뵙겠습니다, 선생님!" 우리 반은 항상 구호를 외치며 종례를 마친다. 구호를 대충 립싱크로 때우고 아직 종례가 끝나지 않은 옆 반 친구를 기다린다. 가벼운 발걸음으로 학교를 나서니, 여느 고등학생과 다르지 않게 출출하니 떡볶이가 먹고 싶다. "

그래 떡볶이 먹자. 근데 나 오늘 친구 한 명 만나기로 했으니 같이 먹자 괜찮지? 참고로 남자야. " 워낙 제멋대로인 친구라 나는 모르는 친구를 갑작스레 데려오는 것은 한 두 번이 아니다. 낯을 가리는 성격이라 당연히 괜찮지 않았지만, 더군다나 여중을 갓 졸업해 남자와 대화도 잘 못하는 성격이라 더더욱 괜찮지 않았지만, 어느새 나는 손을 잡혀 약속 장소로 향하고 있었다.

은근한 더위에 지칠만도 한데, 저 멀리 보이는 그는 춘추복 셔츠와 조끼, 넥타이 그리고 마이까지 모두 교과서처럼 입고 있다. 아마 공부는 못해도 바른 아이 같았다. 모범생 같진 않아도 특별히 모난 데는 없어 보였다. 장난기가 얼굴에 서려 있지만 마냥 개구쟁이 같지도 않았다. 어딘가 내면이 단단해 보였다. 그도 나처럼 낯을 가리는지 우리는 수다스럽게 이야기하는 내 친구를 가운데 낀 채, 버스 정류장까지 가는 길에 한 번도 입을 떼지 않았다. 궁금한 눈길로 힐끗힐끗 그를 바라보기만 했다.

남자인 친구를 오랜만에 봐서 그런지 '그'를 봐서 그런지, 기분 좋은 긴장과 설렘이 자꾸 나를 웃음 짓게 한다.

마을버스가 방지턱을 지나 덜컹거릴 때마다 날아오르려는 내 마음을 겨우 붙잡는 상상을 하며 창밖에 시선을 두는데, 옆자리에서 꼬질꼬질한 표를 하나 내민다. '이거 내가 버스킹 하는 건데, 보러 올래? 나 노래 잘하거든. ' 나는 친구가 많이 없어서, 그 친구들 마저 모두 예체능과는 거리가 먼 친구들 뿐이라서인지 담담하게 표를 내미는 그가 너무 멋져 보였다. 아니, 멋졌다.

" 너무 갑작스러워서 그날 학원 없는지만 확인하고,, 없다면 갈게 "
공연 날이 하루 빨리 달려왔으면 하는 마음은 들키고 싶지 않았다.

//

떡볶이집에 들어와 항상 먹던 대로 주문을 하니 떡볶이가 10초 만에 나온다. 그를 앞에두니 마음 편히 먹지 못하겠어 괜히 떡을 뒤적거린다. 그러다가 문득 앞을 봤는데, 그는 떡을 3개씩 집어가며 세상 맛있게 먹는 게 아닌가. 괜히 억울한 마음에 나도 모르게 그를 흘겨보는데, 그가 나를 순간 딱 쳐다본다. 나도 모르게 눈을 맞추니 놀란 마음에 얼음처럼 얼어 눈을 떼지 못하겠다. 내 마음을 모른 채 너는 내게 가볍디 가벼운 말을 날린다.

" 뭘 봐? "
" 어.. 어..? 허, 너 본 적 없어. 떡볶이나 마저 먹어. "
재빨리 말을 돌리려 애쓴다.

당시에는 나도 몰랐지만 이제 와 그의 앞에 앉아있는 그때의 내 눈빛을 상상하자니, 내 눈빛은 떡볶이집으로 식자재를 배송하느라 떡볶이집 문 앞에 정거해있는 저 트럭보다도 무거웠을 것이다.
이 순간이 환영처럼 날 따라다니며 끈질기게 나를 괴롭히게 될지는 그도, 나도, 나와 그를 만나게 한 친구도, 아니 세상 그 누구도 몰랐을 것이다. 후회한다. 이때 그와 눈을 맞추고, 그의 목소리를 듣게 놔둔 내 스스로를 증오한다.

//

특별한 만남이 아니었다는 듯 다음날, 여느 때와 같이 지각을 면하기 위해 발을 최대한 빨리 굴리며 뛰고, 동시에 손으로는 짧은 치마를 잡아당긴다. 선도부장 선생님께 걸리지 않기 위해 나는 매일 우스꽝스러운 모습을 하고 교문을 지난다. 웃긴 건 당시의 거의 모든 여학생들이 나와 같은 모습으로 등교했다는 것이다.

햇살이 교내 연못을 비춰 윤슬을 그려내는 눈이 부신 3시, 선생님은 국어 지문을 열심히 낭독하시고, 장난기 많은 친구들은 교실 뒤 높은 책상으로 나와 저마다의 이야기를 한다. 나는 교실 창 넘어 푸르고 높은 하늘을 본다. 어느 때와 같이 고등학생에 걸맞은 가벼운 마음으로 하루를 보내던 나인데, 듣던 국어 지문을 가만히 듣고 있자니 계속해서 그의 눈빛과 '뭘 봐' 하는 음성이 뇌리에 울려 퍼진다. '뭘 봐.. 뭘 봐.. 뭘 봐..'

계속해서 선생님의 낭독 소리가 아닌 그 아이의 목소리가 울린다. 차갑게도 따뜻하게도 들렸던 목소리. 그 아이가 나를 똑바로 바라보며 건넸었던 소리. 그 아이의 입에서 내 귀로 진동되어 파장을 일으켰던 소리. 내가 그 아이를 여태껏 잊지 못하게 만든 소리. 어쩌면 듣지 말걸, 후회되는 소리. 훗날 나를 울게도, 웃게도, 기대하게도, 실망하게도 만들었던 그 소리.

//

급식을 먹으러 교실을 뛰쳐나갈 때면, 아이들은 모두 그날의 급식 메뉴를 상상하며, 모래 밭 운동장에서 흙먼지를 날리며 공을 찰 기대를 하며, 공부하지 않아도 된다는 해방감을 만끽하는 등 저마다의 비슷한 기대를 품고 있다. 나만이, 나만이 매일을 '오늘은 그 아이의 얼굴을 볼 수 있을까?' 하는 기대를 품고 급식실로 향했을 것이다.

어느 때면 밥을 빨리 펐다. 어느 때는 국을 느리게 펐고. 또 다른 날에는 밥을 먹는 둥 마는 둥 입에 욱여넣고, 식판에 남은 잔반은 천천히 버렸다. 그를 더 오래 보기 위해서. 어느 날이던 내 시선은 그 아이 것이었다. 시선을 옮기려 해도 무엇이 나를 이끄는지, 나를 이끄는 그 무언가에 의해 시선은 진하게 머물렀다.

다른 날과 같이 급식실에서 급식을 받으려 친구들과 줄을 서고 있는데, 오늘은 운이 참으로 좋은 날이다. 급식을 기다리는 줄에서부터 그가 보였다. 그도 친구들과 함께 앞다투어 장난스럽게 뛰어내려오는 것이 아닌가. 급식줄에서부터 유독 그를 빨리 보게 돼서인지, 그날의 나는 유독 나의 시선을 통제하지 못했나 보다.

"*주호, 얘가 너 좋아하나 봐. 자꾸 쳐다봐*"
친구는 그것이 사실인지 꿈에도 모른 채 장난스럽게 떠든다.

이에 주호는

" *너 나 좋아하냐? 너무 티 나는 거 아니야?* "

그새 볼이 발그레 해진 내가 귀엽다는 듯이 눈웃음을 잔뜩 치며 장난스럽게 웃으며 말한다.

" *뭐래!!!* "

내 심장이 너무 빨리 뛰고 있었다. 떡볶이집에서와 같이 아무렇지 않게 던져진 그의 한마디지만, 들켰다는 두근거림과 미친 듯이 설레는 마음이 합쳐져, 두근거림을 도대체가 주체할 수가 없었다.

이미 커질 대로 커져 있었던 내 사랑은 그렇게 또 한 뼘 커졌다.

그러나 우정이라는 이름으로 쌓아 올린 이 관계를 허물고, 사랑이라는 이름으로 관계를 다시 쌓아 올리기에 나는 너무 어리숙했다. 자연스럽게 친구라는 이름으로 나는 그와 같이 밥을 먹었고, 고민을 나눴고, 영화도 보고, 산책도 했다.

내 사랑은 자라나고 있었다.

//

그가 여자친구가 있다는 걸 알게 된 건 얼마 되지 않아서이다.

학교에서 오고 가며 수없이 그를 봐 왔지만, 그렇게 기분이 안 좋아 보이는 주호는 처음이었다. 좀처럼 자신의 마음을 내비치지 않는 성격의 그였기에, 대체로 그는 항상 웃고 있었다. 그래서인지 그에게 무슨 일이 있는지 더더욱 궁금했다. 진심으로 걱정도 되었다. 관심 없는 척 은근슬쩍 무슨 일인지 친구에게 물어보니, 그는 항상 오랜 여자친구와 헤어짐과 만남을 반복하는데, 이번에는 그와 그의 여자친구가 헤어진 타이밍 같다는 것이다. 어차피 저러다가 다시 화해하고 만날 것이라는, 쟤넨 원래 저런다는 말도 덧붙였다.

지금이 반복되는 헤어짐과 만남 중 헤어짐의 기간이라는 것은 그나마 날 안도하게 했지만, 솔직히 이 사실은 내 오른쪽 귀를 거쳐 곧바로 왼쪽 귀로 흘러나갔다. 그가 마음 아프게 사랑했던, 아니 사랑하는 사람이 있다는걸, 심지어 풋풋한 학창 시절 2년을 바쳐 사랑한 사람이 있다는 것이 나를 바닥으로 끌어내렸다. 학교를 마친 후 다정히 손을 잡고 서로의 집을 데려다주고, 놀이동산에 교복을 입고 놀러 가 추로스를 나눠먹던 하나의 추억을 둘로 나눠 함께 공유하고 있는 누군가 있었다는 것이 나의 넋을 잃게 했다.

그는 나에게 너무 다정했다. 내가 길 바깥쪽으로 걸어가고 있을 때면 그는 나를 항상 안쪽으로 밀어 넣었고, 내가 귀엽다는 듯이 웃으며 그의 손으로 내 머리칼을 흐트러 놓기도 하고, 자기 집에 데려다 달라며 나에게 응석도 부렸다.

그러니 당연히 의구심도 들었다. 같이 장난을 주고받을 때면 그가 나에게 호감이 있는 듯한 때도 있었다. 어쩌면 나를 조금은 특별하게 생각할지도 모른다는 생각도 했었다. 여자친구가 있었다면 왜 나를 헷갈리게 했던 것인지 억울했다. 하지만 그가 여자친구가 있으면서 다른 여자를 헷갈리게 할 질 낮은 남자일 확률과, 모든 상황이 그저 나의 착각이었을 확률을 마음속으로 저울질해보니, 고민은 길게 이어지지 않았다. 내가 생각하는 그는 통상 바르지 않다고 여겨지는 행동은 절대 하지 않는 사람이니. 곧바로 창피함이 몰려왔다.

그러고는 그를 피해 다니기 시작했다. 나 혼자 느낀 설렘, 좌절과 창피함에 고개를 들 수가 없어서이기도 했지만, 주호의 얼굴을 볼 때면 그의 여자친구와 포근한 시간을 보내는 그가 자꾸만 상상이 되어서였다.

나는 주호의 다정한 얼굴을 아주 잘 안다. 그리고 그의 다정은 나를 바보로 만든다. 현실감이 사라지고 그 순간만이 존재한다. 그 감각을 너무 잘 알아서, 그래서 괴롭다. 여자친구를 바라보며 어떤 표정을 지을지, 어떤 말을 할지, 얼마나 간지럽게 손을 잡아줄지 알아서.

//

그동안 내가 그를 사랑하는 것을 드러내지 않은 채 그와 너무 많은 기억을 나눈 탓이다. 나는 이미 그의 모든 비밀과 치부를 다 아는 절친한 사이가 되어 있었다. 그와 있을 때면 나도 모르게 마음의 장벽이 녹아 없어지는 탓에, 나의 숨기고 싶은 비밀들도 그는 모두 알고 있었다. 마치 태양을 도는 지구처럼, 그렇게 나는 친구라는 이름으로 그의 곁을 맴돌았다. 내가 그의 가장 친한 친구라는 생각이 나를 만족하게 했다. 그는 항상 나에게 고민을 털어놓으며 '너한테만 하는 이야기야'라는 말을 잊지 않았기에.

그렇게 여자친구가 있는 주호의 인간관계에서 나는 친구로 정의된 채 몇 달을 똑같이 보냈다.

//

어느 날은 늦은 공부를 끝마치고 집에 왔다. 집에 오자마자 갑갑한 옷을 벗어던지고 침대 위의 수면잠옷으로 갈아입는다. 이제 씻는 일만 남았다. 누가 고단한 나를 제발 좀 씻겨줬으면 좋겠다는 생각과 함께 침대에서 일어나지 못하고 있는 시간, 새벽 1시였다. 모두가 내일을 위해 잠에 든 시간.

그 순간 전화가 울린다. 주호다. 전화가 끊어질라 단숨에 전화를 받았다.

전화기 넘어 그는 한강을 걷고 있다고 했다. 또다시 여자친구와 헤어졌는데, 이런저런 생각으로 너무 힘이 든다고 했다. 이야기를 들어줄 사람이 필요하다고 했다.

나는 밖이라고 대답한다. 마침 친구와 한강 근처에서 헤어지고 집에 가려던 참이니, 20분이면 도착할 거라고 얼버무리며 전화를 받는 반대 손으로는 급하게 겉옷을 집어 허겁지겁 입었다. 전화를 끊고는 바로 택시를 탔다.

아까는 그토록 무거웠던 내 몸이 어떻게 이렇게 쏜살같을 수 있는지 신기하다.

그가 슬플 때 나를 먼저 불러주었다는 기쁨. 그가 또 헤어짐의 기간을 맞았다는 안도. 그와 단둘이 시간을 보낼 수 있다는 기대. 여자친구로 인해 슬퍼하는 그의 얘기를 들어야 한다는 슬픔. 여자친구 생각으로 근심 가득할 그의 얼굴을 마주 봐야 한다는 쓸쓸함. 택시 안의 나는 복잡함을 노래로 달래가며 한강에 다다랐다. 막상 택시 문을 닫고 멀리 서 있는 그를 보니, 택시 안에서의 생각은 전부 사라지고 어디에도 없다. 그에게로 걸어가는 내 두 다리의 속도가 너무 느리게 느껴지는지, 상체는 그가 서 있는 방향으로 잔뜩 기울어져 있다.

실컷 주호의 말에 맞장구를 쳤다. 다시 사귈 건 알았지만, 그의 여자친구가 잘못했다는 식으로 맞장구를 치면 왠지 더 오래 헤어져 있을 것 같았다.

주호는 하고 싶었던 말을 다 뱉고 나니, 기분이 한결 나아 보였다. 말을 들어주는 상대보다는 담아뒀던 고민들을 입 밖으로 꺼냈다는 사실이 그를 위로한 것 같았다.

"고마워. 너 덕분에 훨씬 나아졌어. 내 속 얘기를 할 수 있는 사람은 너밖에 없어. 너 앞에서만 내 얘기를 꺼낼 수 있는 것 같아. 넌 나한테 특별해."

그러고는 또 다정하게 눈을 맞춘다.

다정하게 나를 부른다. 자꾸.

주호가 나를 필요로 한다.

"뭘, 너 나 밖에 친구 없잖아. 다음에 또 답답하면 불러. 옆에서 다 들어줄게 언제든. 오늘처럼 부르기만 해줘."

장난스럽지만 언제나 불러달라는 진심을 녹여, 씁쓸하게 대답했다. 마지막 말이 여운을 남기며 나를 위로한다. 이런 말들이 나를 그의 곁에서 버티게 한다.

//

주호와 그의 여자친구가 헤어져 있는 기간이 꽤 길어지자, 내 마음 속에서는 기대가 피어난다. 그리고 현실이 된다. 이제는 그에게 여자친구가 없다면, 하는 가정 따위는 하지 않아도 된다. 그의 여자친구는 미안하다는 내용의 문자를 주호에게 꾸준히 보냈지만, 주호는 진짜 헤어짐을 결심했다. 물론 그 문자를 보는 것은 호구나 하는 짓이라고 조언한 나의 몫도 있다.

이를 기점으로 나와 그의 관계는 좀 더 짙어졌다. 누구도 우리의 관계를 숫자로 계량하진 않았지만, 그의 행동과 말들이 더욱 깊고 무거워진 것을 나는 느낄 수 있다.

학교를 마친 후 다른 친구들과 나, 주호가 한데 어울려 시간을 보낸 후 헤어질 때면, 나와 주호는 말하지 않아도 함께 놀던 장소를 빠져나와 같이 집에 갔다. 어느새 함께 집에 가는 것이 너무나 당연해져서, 우리는 함께 집에 가기 위해 눈빛조차 주고받을 필요가 없어졌다. 집에 같이 걸어가는 것이 우리만의 규칙인 듯 굴었다. 주호는 언제나 걸어서 집에 가는 것을 좋아했는데, 약속 장소에서 집으로 가는 거리가 상당하여 1시간 이상을 걸을 때도 있었다. 그럼에도 집으로 가기 위해

단둘이 걸었던 그토록 먼 거리는 언제나 짧고 아쉬웠다.

주호와 집을 갈 때면 주호와 내 집 간의 거리를 수평선 위에 놓아본다. 주호가 나를 집에 데려다준다며 수평선 위의 0을 넘어 내 쪽으로 걸음을 옮길 때, 주호의 발걸음 수만큼 그를 향한 나의 기대도 커진다.

그날도 주호와 집으로 향하는 길이었다. 다만 집으로의 거리가 너무 멀어, 버스정거장에 잠시 앉아 숨을 골랐다. 자연스럽게 이야기꽃을 피우느라 우리의 입에서는 하얗고 따뜻한 입김이 불어나온다. 우리의 언어가 그림으로 그려져 퍼져나가는 듯한 입김의 형상에 우리는 웃음을 터트린다. 버스정거장의 의자도 스쳐가는 이들을 위해 언제나 뜨겁게 데워져 있었기에, 우리에겐 안성맞춤의 공간이었다.

"엉덩이는 너무 뜨거운데, 발이 너무 시려."

"발 줘 봐."

"내 발? 발은 왜? 오래 걸어서 더러워."

"빨리"

의자 위, 마치 담요처럼 흐트러져 있는 그의 기다란 외투 끝자락 안에 내 발을 숨기듯이 품는다.

"의자가 뜨거우니까… 금방 따뜻해질 거야."

시간이 느리게 흐른다. 내 발만이 뜨거운 버스정거장 의자 위, 그의 외투 끝자락에 숨겨져 있는데 몸 전체가 따뜻하다. 발의 온기가 혈관을 통해 순환되며 온몸을 데우는 듯, 우리 주위에 어떠한 결계가 쳐진 듯 주호와 함께 하는 이곳은 따뜻하고 고요하다.

//

다만 주호는 질기게도 그의 전 여자친구를 지워내지 못했다.

나는 아직도 주호의 체취를 잊지 못한다. 두툼하고 포근하면서도 가벼운 이불 안에 숨겨진 설탕 가루 발린 사탕처럼 달콤한 향기. 그 향은 내가 지독하게 주호를 그리게 했다. 주호도 나의 향을 좋아하는듯 했는데, 그래서 주호를 만날 때면 나는 항상 같은 향수를 뿌렸다.

하지만 그 눈빛과 호감이 나의 것은 아니었다. 나에게서 전 여자친구와 같은 향이 난다고, 내 향을 맡으며 그녀를 추억했다는 사실을 안 건 이날 이후였다.

주호와 영화를 보고 집에 가는 길에 놀이터 벤치에 앉아 이야기를 나누던 참이었다. 집에 가기 아쉬운 마음으로 주호와 한창 이야기를 하다 보니 얘기가 깊어진다.

"너 나 좋아하잖아."

그도 알고 있었나 보다. 하기야 사랑하는 마음이 자꾸만 흘러넘쳐 나조차도 감당할 수 없게 된 이 마음을 눈치 빠른 주호가 몰랐다는 것은 말이 되지 않는다.

그러니 묻고 싶었다. 왜 다 알면서 모른 척했는지. 왜 내 마음에 대한 긍정도, 부정도 하지 않아 나를 더더욱 힘들게 했는지.

이젠 그가 내 마음을 묻는다. 자신을 좋아하느냐고 단도직입적으로 묻는다. 주호를 사랑하는 마음을 지닌 채 친구로 지낸 지 2년, 갑작스럽고 날카로운 질문에 말문이 턱하고 막힌다.

그토록 바라왔던 소중한 시간이다. 우리의 관계에 대해 터놓고 말하며, 나를 향한 그의 진실한 마음을 듣고 나의 마음을 전할 수 있는 시간. 기다려 온 만큼 말이 술술 나오진 않았다. 오히려 입이 잘 떨어지지 않았다. 어떤 대답이던 지금 우리의 관계를 망치지 않는 대답이어야 했다. 기껏 빚어온 이 관계에 있어 그를 뒷걸음질 치게 할 순 없었다. 그래서 말을 고르는 데에 신중했다. 신중에 신중을 기하느라 애쓰는 나를 뒤로하고, 주호는

" 너한테서 그 애에게서 났던 체취가 나. "
".. 무슨 향인데 …? "
" 모르겠어. 체리같이 달면서, 포근하고 또 .. "

주호가 내 곁으로 가깝게 다가와 내 체취를 들이킨다.
주호가 내뱉은 숨결이 얼굴의 솜털을 건드린다.
머리칼을 쓸어내린다.
입술을 가까이한다.

" … "
주호가 실수였다는 듯 다시 나와 그의 입술 사이에 거리를 둔다.

" 향수를..

… 뿌려서 그래. 일어나자 "

그리 처참한 기분은 아니었다. 내가 아닌 그녀를 상상하는 그의 눈
빛에도 불구하고 난 설레고, 두근거렸다. 긴장했다.

우리의 관계에 대한 진심 어린 대화를 하지 못했다는 아쉬움은 안
중에도 없다. 이건 체념이겠지. 나는 내 자체로 그에게 긴장감을 주지
못한다는 적잖은 깨달음과 함께 이룬 체념.

//

이후로도 나는 주호와 '친구' 관계를 유지하며 지냈다. 영화를 보면
주호는 내 입에 팝콘을 넣어주었고, 서로의 집도 익숙하게 데려다주
었다. 귀여운 연락들도 주고받았다.

주호가 나를 보며 그녀를 떠올린다는 것을 알아도, 나를 보며 그녀
를 보고 싶은 마음을 달래는 걸 알아도. 내 안에 주호는 언제나 부족했
기에 그렇게 지냈다.

나를 보는 주호의 눈동자에는 항상 내가 아닌 그녀가 비친다. 분명
나를 보고 있음에도 그눈빛은 항상 주호와 나의 사이에서 힘을 잃고
사라지는 듯하다. 명백히 다른 누군가를 나에게 투영하여 보고 있는
눈빛이었다. 그래도 난 언뜻 보면 내가 비추는 것 같기도 하다고 스스
로를 세뇌한다. 나는 자꾸 헷갈리는 척을 한다. 헷갈리지도 않는 것을

자꾸만 헷갈려 한다.

//

시린 겨울이 지나고 피어나는 봄, 시간이 흘러 졸업을 하고 대학교에 진학했다.

시간이 지나고 다른 대학교에 다니며 우리의 위치는 많이 멀어졌지만, 나의 마음은 도대체가 변할 줄을 몰랐다. 나의 연락으로 우리는 간간이 만났고, 술을 마셨고, 취했고, 고민을 나눴다.

속절없이 흐르는 시간 사이 나도 연애를 하지 않은 것은 아니다. 길고 짧은 여러 인연들을 지나쳐 보냈다. 중간중간 주호의 생각이 나지 않았다고 하면 거짓이겠지만, 모든 관계에 최선을 다해 임했고, 그만큼 많은 감정들을 배우고 느꼈다.

주호가 아닌 사람들과 많은 것을 공유하고 나누며 일상을 살아가는 동안, 나와 주호는 자연스럽게 멀어졌고 연락이 끊겼다. 이후에도 1주일에 한 번 생각나던 주호가 1달에 한 번 .. 3달에 한 번, 6달에 한 번 생각날 때 쯔음,

우연인지 필연인지 내 앞에 그가 나타났다.

//

졸업 후 인연을 맺은 선배들과 술을 기울이는데, 선배 본인이 아끼

는 동생 한 명이 하는 공연을 보러 오라며 나를 조른다. 관심도 없고 갈 마음은 더더욱 없지만 얼큰하게 술에 젖은 선배의 비위를 맞춘답시고 관심 있는 척 그 동생 이름을 묻는다.

"주호. 내가 진짜 좋아하는 동생 한 명 있어"
"주호요? 혹시 몇 살…"
"아, 너랑 동갑일 걸 아마?"

머리가 지끈거린다. 이 무슨 지독한 인연인가 하는 생각과 동시에, 너무 궁금했다. 애써 지워 보냈던 주호가 무엇을 즐기며 어떻게 사는지 궁금했다.

머뭇거리는 나를 보며 선배가 아는 사람이냐며 전화를 연결해주겠다고 나섰다. 손을 마구 흔들며 됐다고, 그저 평범한 고등학교 동창이라며 실컷 거부하는 채 했지만, 속으로는 전화 연결을 원하고 있었다. 주호의 목소리를 원하고 있었다.

"여보세요? 아 형, 무슨 일이세요?"
예의를 한껏 갖춘 주호의 굵직한 목소리가 울린다.
"여보세요? 형 들리세요? 형?"
"아, 여기 너를 안다는 동생.."

나는 손가락으로 황급히 선배 핸드폰의 통화 종료 버튼을 연신 눌

러댔다.

마음의 준비가 되지 않았다. 주호를 만나지 않는 동안 그를 잊어내
느라 힘들었던 나를 애써 덤덤한 척 포장해서 잘 지냈다는 듯이 아무
렇지 않게 주호의 안부를 물을 용기가 부족했다. 너무 당황해서 아무
것도 하지 못했지만, 한 가지. 그의 목소리가 여전하다는 것을 확인
했다.

주호는 참 또렷한 사람이었다. 흔들리지 않고 무너지지 않는, 신념
이 있고 그 신념이 흔들리지 않는 안과 밖이 같은 사람이었다. 아직 내
가 사랑했던, 아니 사랑하는 주호 같아서 옅은 미소가 지어졌다.

" 선배, 그 공연 말이에요, 너무 갑작스러워서 .. 그날 뭐 없는지만
확인하고 없으면 갈게요 꼭. "

주호는 그렇게 노래를 부르며 공연을 하는 가수로써 내 앞에 다시
나타났다.

//

다시 만난 주호는 또 나를 힘들게 하겠지. 슬프게 하고 울게 만들
겠지.

주호는 잔인하게도 우리의 관계를 뚜렷이 정의하려 들지 않았다.
그럼 나는 지금과 같이 얇은 끈과 같은 희망을 자꾸만 남기게 된다. 너

는 내가 너를 잊으려는 노력조차 못하게 한다.

안녕, 나의 오랜 친구 우울.

김소연

김소연 그림을 그리고 시를 쓴다. 하고 싶은 말이 많았지만 전하지 못해 우울
을 앓기 시작했다.

말하는 대신 글을 쓰고, 읽기 시작하며 마음이 조금씩 치유되는 것을
경험했다. 그래서, 깊은 ‛마음을 쓴다. 월간 시사문단 시 신인상을 받았
다. 마음을 어루만져 주는 따뜻한 그림을 그린다.

어딘가에 같은 마음을 가진 분이 계신다면, 이 글을 통해 조금이나마
위로가 되었으면 하고 바란다.

이메일: iop9@kakao.com

힘겨운 겨울을 견디고 있는 모두에게.

안녕하세요, 요즘 잘 지내시나요?

쉬운 이 말이 저는 사실 무척 어렵습니다. 잘 지낸다는 것이 어떤 건지조차 혼란스럽게 느껴질 만큼 마음이 좋지 못한 날들을 보냈습니다. 너무나 마음이 힘든 날이면 다른 사람들은 어떻게 살아가고 있나 궁금했습니다. 마음이 힘들다 털어놓으면 누구나 그렇게 산다는 대답이 돌아왔습니다. 저는 저 스스로 내가 나약한 것이 아닌지 고민하기 시작했습니다. 누구나 그렇게 산다는데, 다른 모든 사람은 이렇지 않은 것 같았습니다. 물론 위로해 주려는 말들이었겠지만, 저는 그 말들에 상처받고 더 깊은 동굴 속으로 들어가기만 했습니다. 흔한 힘내라는 말이 왜 그렇게 힘들었는지요. 그런 저를 위로해줬던 건 누군가가 진솔하게 쓴 노래 가사와 누군가의 깊은 마음속 이야기였습니다. 나만 이런 건지 불안하고 우울했던 마음이 다른 누군가도 같은 생각을 하고 있다는 것 자체로 위로가 되었습니다. 세상에 혼자 남겨진 듯한 외로움과 공허함이 조금 달래졌습니다. 그동안 제 주변 사람들에게 떠오르는 생각들, 감정들을 전할 수가 없었습니다. 그들에게 아주 큰 짐을 지게 하는 것 같아 죄스러웠습니다. 소중한 이들에게 이 짐을 나눠서 지게 하느니, 그냥 제가 전부 지고 사라지고 싶다는 생각을 매일 아침 눈 뜨자마자 했습니다. 그랬던 마음이 글을 쓰면서, 누군가의 글을 읽으면서 조금씩 치유되는 것을 느낍니다. 어딘가에 저와 같은 분이 계시다면, 이 글을 통해서 조금이나마 위로가 되었으면 하고 바랍니다.

여러분, 잘 지내세요.

1장. 내 오랜 친구와 마주 봤다.

　아주 어린 시절부터 함께 한 친구를 이제야 마주 봤다. 그동안 나는 내 마음속에 사는 친구를 모르는 척 외면하고 살아왔다. 우울은 아주 오래전부터 나의 마음속에 있었는데. 우울은 내 외면에 지쳐서 점점 커지고 뾰족해져서 나를 찌르기 시작했다. 그러는 동안 나는 더 활기차게, 더 열심히 지내면서 내 마음을 모르는 척해 왔는데, 시간이 가면 갈수록 나를 뾰족하게 찌르는 마음을 더 이상 모른 척할 수 없었다. 한계까지 지친 마음은 그동안 해 왔던 것처럼 활기찬 척할 수 없었고, 더 이상 무언가를 열심히 할 수 없었으며, 가면 같은 웃음 뒤에 숨을 수가 없었다. 그제야 나는 내 마음을 인정하기로 했다. 그래, 힘들었구나 하고.

　누군가 그랬다. 우울은 옮는다고. 나는 그 말에 마치 전염병 환자가 된 것 같은 기분을 느꼈다. 모든 이들이 우울이라는 전염병이 주변에 속절없이 옮고 말 거라고 여기는듯했다. 우울한 사람은 곁에 두는 게 아니라는 말에 나는 아닌 척 웃어넘겼지만, 속으로는 너무나 깊은 상처를 받았다.

　나 자체가 부정당하고 거절당한 느낌이었다. 나는 점점 두꺼운 가면을 썼다. 우울한 마음은 개미 눈물만큼도 가지고 있지 않은 사람인 양 행동했다. 그러면서 나는 점점 나를 잃어갔다.

나의 책장에는 심리에 대한 책들이 늘어갔다. 쉬어도 된다는 말들, 이대로도 괜찮았단 말들이 적힌 소위 힐링 서적들이 늘어간 것이다. 내 마음을 인정하고 싶지 않아 더 열정적으로 행동하던 시절 나의 서재는 열심히 살아야 한다는 말로 가득 찼었다. 열심히 살아라, 최고가 되라는 말이 내 방안 빼곡히 채워졌다. 스무 살에 부동산에 관심을 가져 공인중개사 시험에도 도전하고, 주식에 대한 서적, 자격증과 상식에 관한 책, 자기 계발 서적이 가득했다. 나는 누구보다도 열심히 살고 싶었다. 누구보다 잘살고 싶었다. 알바를 열심히 해서 돈도 모았고, 대학교에서는 좋은 성적을 유지하면서 늘 성적 장학금을 타 냈다. 강사 일을 하면서 학생들도 가르쳤다. 우울한 마음이 올라올 때면 일부러 더 괜찮다고 스스로를 속였고, 더 열심히 해야 한다고 채찍질만 했다. 주변에서 대체 언제 쉬느냐고 걱정할 정도로 나는 나를 몰아붙였다. 잠시 쉬어 가도 문제없었을 텐데, 그때의 나는 채찍 밖에 들고 있는 것이 없었다.

나는 일을 하고 공부를 해야 불안하지 않았다. 숨 쉴 틈 없이 바빠야 우울하지 않았다.

아마 난 그러다가 탁, 간신히 부여잡고 있던 끈을 놓쳐버린 것이 아니었을까? 나는 그 후로 급속도로 우울감에 빠져들었다. 우울의 늪에 빠져놓고서도 내가 우울한 것이 맞는지, 힘든 것이 맞는지 다른 이들과 비교하려 했다. 마음이 아프다는 것을 인정하기 싫어서 또다시 모른척하려 했다. 그럴수록 마음은 더 괴로워졌다. 작고 사소한 일에도 스트레스 받고 우는 날들이 이어졌다. 너무 울어 눈이 통통 부었다. 주변 사람들에게 괜히 화도 냈다. 자꾸만 울컥울컥 화가 났다. 화난 마음을 가라앉히고 싶어 자해까지 했다. 가장 가까이에서 그런 나를 보던 엄마가 병원에 가보지 않겠냐고 조심스레 이야기해 주셨다. 자꾸 그렇게 우울하면 병원에 가보자고. 다른 의미는 아니고 그저 내 마음이 평온해지길 바란다고 하셨다. 그제야 나는 병원에 예약했다. 사실은 몇 년 전부터 병원에 가 보고 싶었다. 은연중에 이런 마음은 정상적이지 않다는 생각이 들었는지도 모른다. 그렇지만 내가 병원에 가도 되는지 헷갈렸고, 용기 내어 병원에 갔다가 별것 아니라고, 꾀병이라는 말을 들을까 봐 겁도 났다. 나는 먼저 병원에 가 보는 건 어떠하냐는 엄마의 권유가 정말 고마웠다. 병원에 가서 검사를 받고, 우울증 약을 받아왔을 때 차라리 후련하고 기쁜 마음마저 들었다. 내가 게으르고 한심한 사람이라 그런 것이 아니구나. 아픈 게 맞았구나. 아프다는 것을 인정받았구나 하는 생각까지 들었다.

내가 내 병을 키웠다. 아픈 것이 맞나, 병원에 가도 되나, 내가 아플 자격은 있나, 힘들어할 만한가 따지다가 결국에는 병이 됐다. 약을 처방받은 뒤에도 나는 종종 내가 진짜 아픈가 싶었다. 오히려 우울해지면 우울해질수록 내가 마음이 아픈 것이 맞는지 헷갈렸다. 누군가의 말들처럼 복에 겨워서 그런가, 등 따습고 배부르니 투정을 부리나? 하는 생각이 연달아 떠오른다. 근데 그렇다고 하기엔 나는 너무 공허한데. 나는 내가 존재하지 않았던 것처럼 사라지고 싶었다. 누구의 기억

속에도 남지 않고, 태어나지도 않았던 것처럼 사라지고만 싶었다. 그 무렵 나는 바다가 되고 싶었다. 바다같이 넓은 마음의 멋진 어른이 되고 싶었는데. 나는 저 멀리 바다가 되겠구나. 넓고 푸른 바다가 되어서, 나라도 나를 품어줘야지 했다.

홀로 깊은 밤

늪이 깊다.
침대 매트리스에 빨려 들어간다.

환하게 뜬 해가,
노란 햇빛이
넘실넘실 침실을 침범하는 게
지긋지긋하고 싫어서

좌르륵, 어두운 커튼을 친다.

낮이 밝아도
내 방은 홀로 깊은 밤중이다.

2장. 마음이 역류했다.

　내 안에서 하지 못한 말들이 목에 걸렸다. 그래서 속이 콕콕 쑤시기도 하고, 짜르르 저리기도 했다. 매일 소화가 안 되고 속이 아파서 내과에 갔다. 역류성 식도염 처방을 받고 나오는데, 나는 자꾸 속에 든 말이 역류했다는 생각이 들었다. 마음이 소화되지 못해서 흘러넘쳐 버린 거라고 생각했다. 그런 생각까지 들고 나면 울컥 눈물이 나오려 했다. 남들 앞에서 우는 모습을 보이는 것도 싫어서 하고 싶었던 말과 눈물을 같이 삼키고 나면 숨이 안 쉬어졌다. 식도에서 역류하듯 속을 아프게 하더니, 그럼에도 내뱉질 못해 기도에 걸린 게 아닐까? 이러다 숨이 막혀 죽을 것 같다고 생각했다.

　깊은 물 속에 잠겨 있는 것처럼 답답하다. 어렸을 땐 물속 가득 잠겨 있으면 참 편안했었는데. 소리도 사람도 모두 멀게 멀게만 느껴지고, 세상에 혼자 남아있는 것 같은 기분을 느꼈었다. 그때엔 그 감각이 안락하다고 생각했는데, 물 밖에서 느끼는 물속은 답답하기만 해. 약 봉투를 받아 들고 나오면서 진짜 물속에 잠겨 있으면 이 답답함이 좀 나아질까 하는 생각들을 했다.

　마음은 깊을수록 꺼내기 힘들다. 사랑도, 진실도, 시커멓게 탄 마음도.

　깊을수록 밖으로 꺼내기 힘들었다. 모두 마음 깊은 곳에 꺼내지 못한 이야기가 한편씩은 있을 것이라고 생각한다. 나는 내 어린 시절 이야기가 한편 있다.

　나는 어렸을 때부터 수영선수를 했다. 당시만 해도 매를 맞았다. 나는 어렸을 때 선배들이 매가 부러지도록 맞던 모습을 가끔 꿈꾼다. 기록이 좋지 않아 맞았던 일도, 매를 잘못 맞아 발바닥에 멍이 들어 걷기 힘들던 기억이 꿈에 나온다.

　초등학교 시절이 끝이 나고, 중학교 운동부로 옮기는 시점에 나는 새로운 환경 적응에 실패했다. 나는 원래가 적응하려면 시간이 오래 걸렸다. 주변 환경이 빠르게 변해버리는데, 나는 그 속도를 따라가지 못했다. 새로운 운동부로 옮기고, 새로운 동네로 이사를 가고, 새로운 학교에서 새로운 친구들과 지내야 했다. 나는 말도 통하지 않는 아주 먼 타지에 홀로 유학을 온 기분이었다.

　중학교 입학 첫날이 기억난다. 나는 내내 책상 밑바닥만 보고 있었다. 가끔 고개를 들어 교실 풍경을 살폈다. 나는 그날 한마디도 하지 못한 채 집에 돌아갔다.

　첫날이니까 괜찮아. 첫날이니까 괜찮아. 괜찮아. 그렇게 스스로를 달래가면서 하루를 버텼다. 사실은 겁이 났다. 나는 혼자가 될까 겁이 났었다. 첫날만 그럴 것이라는 생각은 다음 날 바로 무너졌다. 나는 영어를 못하는 상태로 외국에 혼자 떨어진 이방인 같은 기분을 느꼈다. 시간이 지날수록, 내가 망설이고만 있는 동안 다들 이미 친해져 버렸다. 나와 반 친구들과의 거리는 점점 벌어져만 갔다.

중학교 1학년 수련회에 떠났을 적, 나는 친구가 없었다. 친구 없이 떠나는 수련회는 설레기는커녕 너무나 괴로운 일이었다. 당시 반에서 나를 괴롭히던 남자아이가 있었는데, 걔는 늘 나를 밀쳤다. 복도에 넘어지거나 들고 있던 책을 왕창 쏟는다거나 했다. 나는 운동선수였었는데. 왜 운동 한번 해 본 적 없던 애한테 방어도 반격도 하지 않고 멍하니 있었나 지금 생각해 보면 한심하기도 하다. 수련회 저녁, 나는 같이 어울릴 친구도 없었고, 혼자 멀뚱히 앉아 있기도 싫었다. 그래서 먼저 잔다고 이불을 머리끝까지 뒤집어쓰고 자리에 누웠다. 잠은 오지 않았다. 그러나 반 아이들 사이에 끼어 있는 것이 더 힘들었기 때문에 나는 억지로 누워 잠을 청했다. 얼마 안 있어 내 뒤에서 말소리가 들렸다. "야, 있잖아, 걔가 쟤 왜 괴롭히는 줄 알아?" 윙윙, 멀게 들리던 말소리들이 갑작스럽게 선명 해졌다. 누가 봐도 내 얘기였기 때문이다. 수근수근하는 소리들이 들렸다. 듣고 싶지 않았다. 듣고 싶었다. 이중적인 마음이 번갈아 갔다. 궁금하기도 했고, 알고 싶지 않기도 했다. 이런 생각이 들었을 때 누가 말을 끊었다. "야, 안 자고 있을 수도 있는데, 그냥 말하지 마." 그 말에 심장이 바닥에 떨어졌다. 발치에 심장이 굴러다니며 차가워지는 것이 느껴졌다. 말하지 마, 말하지 마. 그 말에 귓가에 계속 메아리쳤다. 듣기 망설여졌음에도, 듣지 못하게 되니 안심이 되면서도 눈물이 날 것도 같았다. 다들 같은 생각을 하고 있구나. 나에게 뭔가 잘못이 있나 싶었다. 10년이 더 지난 지금도 날 괴롭히던 아이의 이름과, 수련회 날 누가 이런 대화를 나눴는지, 어떤 상황이었는지가 또렷이 기억나는 것을 보면, 나는 아직도 그때의 말이 아물지 못했나 보다.

중학교 1학년 때 날 괴롭히던 아이는 다른 곳에서도 늘 말썽이었는데, 한번은 영어 시간에 수업 방해를 해서 선생님이 교탁 옆에서 플랭크 자세를 하게 했다. 근데 하필 그 위치가 내 바로 앞이었다. 걔가 엎드려서는 자꾸 위쪽을 힐끔힐끔 봤다. 눈도 마주쳤는데, 나는 그 상황이 너무 불편했다. 난 맨 앞자리였고, 걔는 자꾸 내 다리를 쳐다봤다. 앉아 있어서 교복 치마도 짧아져서 더 신경 쓰였다. 그 애가 자꾸 쳐다봐서 다리를 딱 붙이고 앉아있어야 했다. 나는 그 한 시간 앉아 있는 게 너무 불편했고 힘들었다. 아직도 히죽이던 그 얼굴이 생각이 난다. 도중에 선생님이 그 모습을 발견하셨다. 그리곤 큰 소리로 어딜 여자애 다리를 쳐다보냐고 혼을 내셨고, 그 애를 교탁 옆에서 교실 맨 뒤로 보내셨다. 나는 큰 소리로 혼을 내신 것이 창피했다. 차라리 아무 말 않고 보내시지. 이런 생각도 들었다. 그 당시엔 별일 아니었다고 생각했다. 하지만 요즘도 종종 그날의 일이 침습적으로 떠오른다.

중학생 시절 카카오톡이 나오고, 카카오 스토리가 막 생겨나 다들 한 번씩 해 보던 차였다. 거기에서 이런 일이 있었다. 같이 훈련을 받던 수영부 학생이 훈련할 때 2인 1조로 하던 육상훈련에서 내가 너무 무거워서 들기 힘들었다며 욕설 섞인 글을 올렸던 것이다. 예민하던 사춘기 시절 같은 학교 아이들이 내 이름이 거론된 글을 본다는 게 너무 부끄럽고 견디기 힘들었다. 무시했으면 좋았을 텐데, 잘못된 선택을 했다. 나도 대응한답시고 비속어가 섞인 댓글을 달았다. 그날 저녁, 그 애가 수영부 동급생들, 선배들을 모두 초대한 단톡방을 만들었다. 거기서 나는 계속해서 안 좋은 말들을 들었다. 분명 모두 읽었는데, 그만하라 말리는 이 하나 없이 그저 지켜만 봤다. 그 애가 했던 말이 아직도 기억에 너무 선명히 남아있다. "야, 여기 네 편 아무도 없어." 그 말에 나도 알고 있다고 답했다. 화면 속 메시지일 뿐인데, 목소리가 들리는 듯했다. 눈물이 났다. 아무도 대답이 없었다. 그 단톡방 생각이 자주 난다. 그 뒤로 나는 사람들과 눈 마주치는 것을 힘들어했다. 어느 곳에도 내 편은 없을 것이라 생각했다. 그런 일들이 반복되면서 나는 전학이 가고 싶었다. 초등학교 친구들이 모두 있는 중학교로 전학을 보내 달라고 떼를 썼다. 나는 너무 외로워서 저녁마다 초등학교 시절 친구에게 전화를 걸어 괜히 수다를 떨었다. 보통 나만 말하고 친구는 듣는 쪽이었다. 어느 날은 친구가 "너, 학교에서 친구 없지?"라고 물어봤다. 나는 그 친구한테 학교생활에 대해서는 한마디도 안 했는데. 나는 들킨 것 같다는 마음에 너무나 부끄러워졌다. 그 후로 나는 친구에게 전화를 걸지 않았다.

힘들게 견딘 1년이 지나고, 중학교 2학년에 올라가면서 친구가 한 명 생겼다. 그 애는 시험 기간에 같이 도서관에 가자고 해줬다. 나는 공부를 할 마음이 딱히 없었음에도 친구와 도서관에 가는 자체가 즐거워 도서관에 나갔다. 우린 책을 뒤적이다가 휴게실에서 음료수 한 캔씩 뽑아 마시곤 했다. 친구가 문득 말했다. "작년 반 친구가 너 작년에 왕따였다 하던데? 왜 그 애랑 노느냐고 그랬어." 난 순간 속이 울렁거렸다. 겁이 났다. 나는 그냥 아무렇지도 않은 척, 이상해 보이지 않으려고 애를 쓰면서 대답했다. "그냥, 나는 이 동네에서 살던 게 아니라서. 수영부 때문에 멀리서 온 거라 아는 사람이 아무도 없었어. 그래서 좀 적응하는 게 늦었었나 봐." 내 말을 들은 친구는 알겠다고, 그 애들이 너무 나빴다고 말해줬다. 지금 생각해 보면 그날 그 친구가 나를 한번 살려줬다. 그 다정한 말에 숨이 쉬어졌다. 그 애들이 나빴다는 말이 그렇게 고마울 수가 없었다. 나는 간신히 눈물을 참았다. 그 친구는 며칠 전에도 연락이 왔다. 내가 너무 우울해서 병원에 다닌다니까 그럴 수 있다고, 괜찮다고 해줬다. 친구의 말 한마디 한마디의 온도가 너무 따스했다. 그 말이 10년 전에도 한번, 며칠 전에도 한번, 두 번이나 내 목숨을 살려줬다.

나는 사실 운동하는 것 보다 인간관계가 힘들었다. 그래서 다 그만두고 싶었다. 엄마에게 매번 얘기했는데, 내 마음을 몰라주는 것 같았다. 전학 보내줘, 학교 가기가 싫어, 운동 그만두고 싶어. 매일 얘기했는데, 또래 친구들과 관계가 좋지 않다는 말은 쏙 뺀 채 말을 한 탓일까. 엄마는 쓸데없는 소리 하지 말라고 하셨다. 내가 운동하기 싫어서 징징대는 것으로 알았나 보다. 나는 차라리 수업 시간과 수영하는 시간이 좋았다. 쉬는 시간에는 홀로 있어야 하니까.

그 당시 내 외로움은 아주 지독해져서, 어린아이나 할 법한 상상 친구를 만들어 내기까지 했다. 나는 전화 한 통 오지 않는 핸드폰에 전화가 온 것처럼 흉내 내기도 했고, 까맣게 꺼진 화면을 괜히 귀에 대며 의미 없는 혼잣말을 하기도 했다.

운동하는 것 자체는 그럭저럭 견딜 만했다. 기록이 나오지 않아 맞던 매도 견딜 만했다. 내가 정말 힘들어서 그만두고 싶었던 이유는, 내가 선수 반 친구들 속에 섞여 들지 못했기 때문이다. 학교 운동부 때문에 멀리 이사까지 오며 입학했던 중학교에 녹아들지 못했기 때문이다. 새벽 훈련, 오전 오후 학교 수업, 오후 육상훈련, 저녁 본 훈련까지 하루 종일을 같이 한 친구들 사이에서 겉도는 게 많이 힘이 들었다. 운동이 싫어서가 아니었다. 여기까지 올 수 있게 나를 뒷바라지해 주시느라 들어간 시간과 돈과 부모님의 노력을 몰라서 부리는 투정이 아니었다. 꿈꾸던 목표가 하룻밤 사이 바뀌어 그만두려던 것이 아니었고, 단지 흥미를 잃어서도 아니었다.

엄마는 그때 이후로 십여 년이 더 흐르고 난 뒤에 운동을 그만두게 해 주신 이유를 말해 주셨다.

내 간곡한 편지를 보고는, 당시 아파트 옥상에서 뛰어내렸던 같은 학교 옆 반의 동급생 이야기를 떠올리셨다 했다. 나를 잃을까 두려우셨던 마음에 바로 다음 날부터 그만하게 해 주셨다고. 나는 에이~. 하고 웃으며 넘겼지만, 엄마가 뭔가 알고 있나 싶어 조금 두려운 마음이 들기도 했었다. 엄마에게 이 이야기를 전하고 싶지는 않지만 모순되게도 알게 되어 나를 위로해 주셨으면 하는 마음이 동시에 들기도 했다. 엄마, 어쩌면 내 우울증은 이맘때부터였는지도 몰라.

편지를 쓰던 그날이 생각이 난다. 오전 수학 시간, 숙제로 내 주신 어려운 수학 문제를 풀어가지 않아서 교실 뒤에 꿇어앉아 벽을 보며 벌을 받던 시간이었다. 나는 선생님 몰래 공책 한 페이지를 찢어 사물함 밑에 아무렇게나 굴러다니던 몽땅 연필을 주워 들었다. 딱 춥지도 덥지도 않던 좋은 날이었는데, 햇빛이 창문을 넘어 나에게 닿던 기억이 난다. 엄마, 운동을 그만두게 해 주세요, 엄마, 전학 가고 싶어요. 엄마는 끝내 전학은 안된다 하셨지만 그래도 운동부를 그만두게 되어 기뻤다. 그날 정말이지 행복했다. 이제 거기서 해방이라는 생각에 눈물마저 났다. 편지를 전했던 날 저녁, 같이 먹었던 회가 어찌나 맛있었던지 아직도 기억이 생생하다.

마음 한파주의보

-김소연-

마음 한복판에 한파주의보가 떴다.

시린 온도에
온통 꽁꽁 얼어버렸다.

차갑고
건조하고
딱딱한 마음뿐,

얼음동굴에 웅크릴 수밖에

봄이 오기 직전이 가장 시리다고,
해 뜨기 직전 새벽이 가장 어둡다고

조금은 웅크리고 있어도 괜찮아
지금은 숨어 있어도 괜찮아

한파가 가시고,
봄이 오고,
얼음동굴이 녹으면

그때에 일어나자

그때에 기지개를 켜자.

3. 안주하고 싶은 마음

　마음이 조금 괜찮아지는 날이면 오히려 힘들었다. 우울함이 깊게 느껴질 때면 생각도 잘 안 났고, 아무것도 느껴지지 않았는데. 마음이 나아진 날에는 화도 났다가 울컥하기도 했다. 기분이 너무 오르락내리락하는 기분이었다. 나는 그게 힘에 부쳐서 차라리 다시 아무것도 느껴지지 않길 바랐다. 차라리 아주 우울해지고 싶었다. 아무것도 느껴지지 않는 그 상태가 오히려 편안하게까지 느껴졌다. 우울이 깊어지면 그 우울함이 편안해진다고 하던데. 그리고 나는 우울하지 않은 날엔 불안했다. 언제 다시 나빠질까. 괜찮다가 기분이 확 가라앉는 날에는 그 간극이 너무 크게 느껴져서 마음이 너무너무 괴로웠다.

　병원에 가는 날 괴로운 마음에 의사 선생님께 이런 말을 했다.
　"선생님, 괜찮은 날과 그렇지 않은 날의 간극이 너무 커서요. 제가 혹시 조울증은 아닐지 걱정이 돼요." 의사 선생님은 내 말을 가만히 들으시더니 그렇진 않을 거라고 하셨다.

　"우울할 때의 폭이 깊어서 정상적인 기분으로 올라왔을 때 너무 뛰었다고 느낄 수 있어요. 조증일 때는 정말 확 뛰어요. 김소연 님은 그 정도는 아니시잖아요?"
　내내 우울한 기분이 들다 보면 정상적인 기분마저 본인은 이상하다고 느껴질 수 있다고.

앞으로 나아가기엔 겁나고 불안하고, 뒤돌아갈 수는 없으니 그저 여기서 안주하고 싶었다. 안 좋아지는 것도, 더 나아지는 것도 없이 그저 가만히, 시간이 멈춘 것처럼 변화 없이 그저 주저앉고 싶었다. 평온한 마음 상태로 있고 싶었다. 어쩌면 그런 마음 때문이었는지 나는 종종 사람이나 사건을 잘 기억하지 못했다. 대학에 가서는 잘 지냈지만, 하하 호호 같이 밥을 먹어 놓고는 그다음 주에 복도에서 마주치면 누구인지를 못 알아보고 인사를 받아주지 못했다. 같이 수업을 들었음에도 누구였는지를 잘 기억해 내지 못했다. 그리고 중학교 고등학교 시절을 잘 기억해 내지 못했다. 몇몇 개의 에피소드만 기억이 나고, 그 외의 것은 가물가물했다. 친구들이 그때의 이야기를 하면 나만 그 장소에 없던 듯 기억을 못 하는 것이다. 친구들은 내게 어떻게 그게 기억이 안 나냐고 한다. 나는 학생 때 기억이 잘 안 난다고 했다.

큰 시험이나 대회에 나가면 어렸을 적부터 매일 들었던 "끝까지 해낼 게 아니면 시작 하지를 마" 라는 목소리가 자꾸 떠올라 더 긴장되었다. 해낼 게 아니면 시작하지도 마. 나는 뭔가를 멋지게 성공해 내야 한다는 압박감에 시달렸다. 완벽히 해낼 수 있어야 뭔가를 시작할 수 있다고 생각했다. 그래서 늘 완벽히 해내려 했지만, 나는 완벽한 사람이 될 수 없다. 거기서 오는 무가치함이 있었다. 해낼 수 없다면, 끝까지 해낸 게 아니면 한 것이 없는 사람이 된다. 그 일의 결과는 결국 내 문제가 된다. 결국엔 다 내가 문제가 되는 것이다.

나는 봄이 오면 설레기보다 겁부터 난다. 올해는 무언가 성과를 낼 수 있을까, 올해는 성공해 낼 수 있을까 하는 생각들이 물밀듯 차오른다. 무슨 성공을 해야 하는지, 무엇이 성공인지, 어떤 성과를 내야 하는지도 모른 채 불안에 떤다. 불안에 떠밀려 이른 봄 무엇이든 일단 시작해 놓고서 결국엔 늦여름쯤 탈이 난다.

"선생님, 저는 뭔가 하지 않으면 불안해요. 그런데 뭔가 시작하면 우울해져요."

내가 의사 선생님께 말했다. 의사 선생님은 이 말은 조금 생각해 보자 하셨다. 나는 다음 병원에 가는 2주 동안 이 말에 대해서만 생각했다. 밥을 먹으면서도, 일을 하다 가도 이 질문은 예고 없이 떠올라서 끊임없이 나를 생각하게 했다. 나는 왜 이런가 싶어 괴롭기도 했다. 나는 2주 후 다시 병원에 가서 그동안 생각한 것을 말했다.

"선생님, 저는 무언가 하지 않는 상태에서는 제가 가치가 없다고 느껴요. 그래서 불안해요. 뭔가를 하고 있어야 할 것만 같아요. 그런데 뭔가 시작하면 완벽히 해낼 수 없다는 생각이 들기 시작해요. 그래서 우울해져요."

"완벽한 사람이 어디 있나요? 그러면 아무것도 할 수 없을 거예요."

선생님은 내 말을 들으시더니 이렇게 대답해 주셨다. 이 짧은 말에 나는 또 한참을 눈물을 흘렸다. 사실은 알고 있다. 처음부터 완벽할 수 있는 사람이 어디에 있다고.

나는 진료실에서 꾸밈없이, 숨김없이 진실한 내 모습을 마주 본 기분이었다. 나는 성인이 되었지만, 내 안의 청소년은 아직 자라지 못한 모양이다.

병원에서 의사 선생님이 내게 그러셨다. "너무 자신에 대한 확신이 없어요."

검사 결과를 설명해 주시던 상담 선생님도 그러셨다. "소연씨 안에 소연씨가 없는 느낌이네요."

그래서 요즘은, 완벽할 수 없음에도 불구하고 시도해 본다. 사라진 나를 찾아보려 시도해 본다. 완벽히 할 수 없을 것을 미리 알지만 포기하지 않으려 했다. 자꾸만 이런 과정을 반복하면 절대 우울에서 헤어나올 수 없을 것을 알았다. 깊은 물에 빠지지 않으려면 아무리 힘이 들어도 부지런히 헤엄을 쳐야지.

작은 돌멩이

-김소연-

아주 오래, 아주 깊이
가라앉아 고요한 수면에
잔물결이 퍼진다.

퐁당퐁당 작은 새가 목욕 하고,
개굴개굴 길 가던 개구리가 목을 축인다.

달콤한 꽃 내음 담긴 바람결에,
우르릉 쾅 쏟아지는 빗방울에
고요하던 수면이 요동친다.

그 아래 가라앉은 작은 돌멩이는
소란스러운 수면 위가 괴롭다.

다시 고요 해졌으면,
다시 잠잠해졌으면.

사실은 작은 돌멩이도
저 속에 끼고 싶으면서.

4. 죽음이 나쁜가요?

우울이 깊어지니까 느껴지는 게 없었다. 너무 공허하고 마음이 건조했다. 좋아하는 것도, 하고 싶은 것도, 먹고 싶은 것도, 갖고 싶은 것도 몽땅 잃어버리고 내 안에는 싫은 것들만이 볼품없이 남았다. 마음이 힘들다고 말을 하면 다들 그냥 그렇게 산다고 말했다. 다들 그렇게 살고 있는 거라고. 어떻게 다들 이런 마음을 참고 사나요? 길 가는 사람을 아무렇게나 붙잡아 묻고 싶은 심정이었다. 참아지는 마음인가 싶기도 하고, 다들 이렇게, 이런 마음으로 하루하루를 살아내고 있는 거라고? 이런 생각들이 휘몰아쳤다. 나만 약해서 병에 걸린 거라고 말하는 것처럼 느껴졌다. 우울증을 마음의 감기라고들 하던데, 나는 마음에 암이라도 생긴 것 같았다. 삶이 언제 죽어도 이상하지 않을 시한부 같았다. 일이 있어 서울에 가는 길에, 문득 한강이 보고 싶었다. 넓게 흐르는 강물을 보면 생각이 정리될까 싶었다. 사람들을 만나 말을 참 예쁘게 한다는 칭찬을 듣고 서는 그날은 강에 가지 않기로 했다. 문득 내가 위험하다는 생각이 들었다. 그날 그대로 강에 갔다면 나는 무슨 생각을 정리하고 왔을까, 물결을 보며 무슨 생각을 했을까.

어느 날은 빨간불이 켜진 신호등을 보면서 건너고 싶다고 생각했다. 꽤 큰 도로에 차가 많이 다니는 길이었는데, 여기서 차가 나를 치고 지나갔으면 좋겠다고 생각했다. 나는 그 신호등을 건너 가야 하는 길도 아니었는데, 빨간 불빛에 홀린 사람처럼 신호등 앞에 가서 섰다. 가까이 서 있자니 달리는 차 뒤에 쫓아오는 바람이 내 얼굴을 스치고 지나갔다. 그 바람결에 화들짝 놀라 정신을 차렸다. 높은 건물 창밖을 보던 날에는 자꾸 창밖, 아래를 확인했다. 수영장에서 근무하면서 물에 비춘 햇빛이 춤추는 것을 지켜보며 물에 빠져 죽고 싶다는 생각을 했다.

다이빙을 배우면서 숨을 참는 방법을 배웠었는데, 2분을 넘게 숨을 참은 적이 있었다. 1분에서 1분 30초까지는 숨이 너무 차서 힘들었는데, 그때를 넘기자 오히려 숨 참기가 편안해졌던 기억이 있다. 수영장에 반짝이는 윤슬을 보며 나는 그때를 생각했다.

또 어느 날은 도서관에서 책을 찾아봤다. 거기에는 온 세상의 모든 죽음에 대한 이야기가 제법 상세하게 적혀 있었다. 또 하루는 집 안의 책들과 쓰던 공책들을 모두 가져다 버렸다. 내 꿈도 과거도 모두 가져다 버리는 데 마음이 이상하게 울렁였다. 낡은 책과 공책들을 가져다 버린 건 혹시나 내가 죽고 나면 옛날에 쓴 일기들이 발견되지 않길 바람이었다. 마구 휘갈겨둔 낙서가 남아있지 않길 바라서였다.

사람들은 죽음을 숨기고 감추려 든다. 모든 죽음은 아주 나쁘고 생각조차 하면 안 된다는 듯이. 왜 죽으면 안 돼요? 그러면 모두 대답하지 못했다. 나는 누군가와 이 주제에 관해서 이야기를 나누고 싶었으나 모두 말을 피해버렸다. 내가 마치 도저히 꺼내면 안 될 주제를 꺼낸 것 같았다. 같이 이야기를 나눠주면 진정되었을 마음일지도 모르는데, 아무도 대답해 주지 않으니 내 물음은 점점 더 공허해져만 갔다. 점점 더 외로워졌다.

점점 의문이 늘어난다. 우울에 잠겨버리면 모든 것이 혼란스러워진다. 정상이라는 단어도 낯설고, 산다는 게 뭔지, 성공이란 게 뭔지 모든 단어에 물음표가 붙었다. 의사 선생님의 잘 지내셨냐는 말에도 의문이 생겼다. 잘 지낸다는 게 뭔지 잘 모르겠다고 생각했다. 그래서 그 간단한 질문에 대답하지 못했다. 잘 지낸다는 게 뭐지? 밥 잘 먹고 잠 잘 잤다면 잘 지낸 걸까? 밥 잘 먹고 잠을 잘 잤어도 죽고 싶은 생각이 가득했다면 그것은 잘 지낸 걸까? 밥 못 먹고 잠 못 들었어도 마음은 편안한 건 그럼, 잘 지낸 게 아닐까? 왜 살아야 하지? 돈을 많이 벌면 성공한 걸까? 돈은 없대도 마음이 편안하고 본인이 만족하는 삶이라면 그건 성공한 삶이 아닌 건가? 이런 생각들이 꼬리를 물고 이어졌다. 나는 생활하는 모든 것에 물음표를 붙이기 시작했다. 결론이 잘 났으면 좋았을 텐데, 모든 의문문의 답은 결국 잘 모르겠다였다. 정말 확실히 할 수 있는 게 하나도 없다고 생각했다. 모든 게 혼란이었고 의문이었다. 그래서 주변 친구들이나 어른들에게 물어보면 별 이상한 것을 묻는다는 듯했다. 나는 사람들이 나를 이상하게 볼까 겁이 났다. 그래서 그다음부터 내 속에 떠오르는 의문들을 주변에 묻지 않았다. 답하는 이 없는 질문들이 속에서 더 깊어만 갔다.

마음이 갈아엎어지는 아픔이 올 때가 있다. 씨앗을 심기 전 밭을 갈듯이, 삶이 우리 삶에 씨앗을 뿌리기 전에 마음을 갈아엎는다. 삶에 좋은 씨앗이 들어오기 일보 전이다.

-김창옥 강사님 정기 강연 ep.157에서-

잘 모르겠어요

-김소연-

잘 모르겠어요.
혼란스럽기만 해요.

산다는 게, 죽는다는 게,
잘 모르겠어요.

아이야,
다들 이렇게 산단다.
산다는 게 얼마나 즐거운데,
산다는 게 얼마나 행복한데!

잘 모르겠어요.
도무지 그게 뭔지 모르겠어요.

5장. 나이가 든다는 것

　나이가 들수록, 해가 갈수록 더 열심히 살고자 했다. 누구보다 잘살고자 했다. 그 독한 마음을 먹어 탈이라도 났는지 속앓이했다. 평탄하게 한 해를 보내는 게, 남들보다 조금 부족한 게, 더 앞서 나가지 못한게 뭐가 부끄러운 일이라고. 뭐가 그리 창피한 일이라고. 나는 해가 넘어갈 적마다 작년에 비해 더 나아진 부분이 없으면 한숨부터 나왔다. 뭔가 한 것이 없이 한 해를 보낸 기분이 들 때면 시간이 헛되이 간 것같아 울적했다.

　그래서 요즘은 틀린 그림 하듯 일상에서 다른 점들을 찾고 있다. 찾아보면 하루하루가 다르고, 한 것 없어 보여도 많은 일들을 해 왔는데. 바쁘고 고단히 흐르는 일상에 작은 그림 보듯이 일상을 보기로 했다. 사소하지만 인상적이었던 순간들을 마음속에 그림으로 남기기로 했다. 같다고만 느껴지는 매일에 작은 그림 한 점 남기고 나면 무심코 지나친 순간들이 연이어 떠오른다. 그렇게 작고 사소한 순간들이 떠올라서 내 마음속 작은 그림으로 머무른다면 나는 언젠가 멋진 작품 가득 쌓인 미술관이 되겠지. 작은 그림들로, 작은 순간들만으로도 행복한 사람이 되겠지 하고 생각한다.

　얼마 전 나이가 든다는 말은 내게 어떤 의미냐고 물어본 분이 있다. 나는 살아남았다는 것이라고 대답했다. 내게 우울의 심해에 빠져 익사하지 않고 또 한 해를 살아냈다는 말이다. 올 한해도 살아남아 미술관의 한 공간을 멋지게 완성했다. 그러면서도 나는 종종 내가 중년이 될 수 있을까? 라는 생각을 했다.

좋은 기회에 다양한 나이대의 분들과 나이에 대한 이야기를 나눌 자리가 있었다. 다양한 사람들인 만큼 서로 다른 이야기들을 들었다. 어느 분께서는 나이는 책의 장수라며 중요한 것은 페이지가 아닌 내용이라고 말씀하셨다. 또 어떤 분은 나이가 든다는 것은 기쁨이라며 한 해 한 해 또 다른 나를 만날 수 있어 기쁘다고 하셨다. 어느 분은 나이 드는 것이 책임이 늘어 부담스럽다고 하셨고, 두렵다는 분들도 계셨다. 내 마음속 작은 그림을 남겼던 말은 중년의 어머님이 나이가 든다는 건 삶에 익숙해지는 것이라고 하셨던 말이다. 힘든 일도 슬픈 일도 익숙해져서 이제는 다 그저 견딜 만해지는 거라고.

시간이 가면 나이는 먹는다. 삶이 정체되어 있다고 해도 나이는 먹어간다. 하지만 삶을 나아간다는 것은 나이가 든다는 것과 다르다고 생각한다. 삶에 닥쳐오는 아픔을 맞이하고, 그것을 이겨내야 비로소 앞으로 나아간다. 이제 막 성인이 된 20살도, 인생의 중반에 접어든 중년도, 노년의 어르신들도 나이를 먹는다는 건 많은 생각을 하게 한다. 나는 그날의 대화를 되새겨보다가 문득, 미래에 대해 불안하다는 것은 그만큼 잘살아 보고자 했던 마음이 있다는 것은 아닐까? 라고 일기장에 적었다. 그러니까 미래가 불안하다는 것은 잘해보고자 했던 내 최선이었다고. 앞으로 나아가기 위한 몸짓이었다고.

작년 재작년, 올해

-김소연-

달력에 일정을 적다가
문득
펜을 멈췄다.

작년 재작년에 쓰던
다이어리들을 쳐다보다가
올해 다이어리를 돌아본다.

작년 재작년보다
나아갈 수 있을까.

시계 초침 소리만
방 안을 채우길 몇 분,

이내
깊은 한숨 소리가
방안 낮게 깔린다.

6장. 말로 하기 어려워서 글을 썼다.

속에 쌓아둔 하지 못한 말, 전하지 못한 감정, 생각을 풀어내야 나아진다던데. 도저히 다른 이들에게 말이 나오지 않았다. 누군가 숨구멍을 꽉 막아둔 것처럼 말 한마디 꺼낼 수 없었다. 누군가에게 나의 어두운 면을 보이는 게 부끄러웠고, 또 미안했다. 모든 사람들이 우울한 얘기는 하지 말라고 한다. 그러면서 우울한 마음은 말을 해야 낫는다 하고. 나는 그 모순된 말 사이에서 혼란스러웠다. 인터넷이나 또래 친구들의 대화 속에서도 우울한 얘기는 옮아온다고, 그래서 우울한 사람은 싫다고 했다. 나에게 직접적으로 하는 얘기들이 아니었음에도 나는 부끄러워 얼굴을 들 수 없었고, 마치 큰 죄를 지은 죄인처럼 모든 이에게 미안했다. 유튜브에서 뉴스를 보다가, 나는 우울증 걸린 친구와 손절했다는 댓글을 읽고 장장 세 시간을 울었다. 나는 누군가에게는 그런 존재구나 싶어 마음이 바닥까지 떨어졌다. 어느 날은 너무나 울적하고 견디기 힘들어 친구에게 나 요즘 우울하다고 이야기했다가 우울한 얘기는 듣고 싶지 않다는 답을 들었다. 나로서는 정말 고민하다 어렵게 꺼낸 이야기였는데 거절당하니 더 아팠다. 잘 들어준 친구들도 있었지만, 마음에 남은 상처는 아물지 않아서 아직도 쓰라리다. 나는 점점 더 내 마음에 관해 이야기하지 않게 되었다. 누군가가 싫어할까 봐, 누군가에게 상처를 줄까 봐, 누군가의 마음도 우울로 물들여

버릴까 봐 겁이 나서.

상담 선생님이 그랬다.

"친구에게도, 가족에게도 속마음을 말 안 하면 소연씨는 누구에게 말을 해요?" 그래서 글을 써보자 했다. 종이에게 라도 말을 하자 싶었다.

내가 아무리 많은 이야기를 쏟아내도 모두 받아주는 흰 종이는 어쩌면 내 숨구멍이었다. 하고 싶은 말을 모두 적고 나면 마음에 진 응어리가 조금은 풀어지는 것을 느낀다. 하얀 종이에 마구 쓴 글은 잘 정제해서 일기장에 옮겨 적거나 시를 쓰거나 했다. 두서없는 말로 우울을 말할 땐 모두 피하던 마음이, 같은 마음이라도 잘 정리해 꺼내 놓으니 공감해 주는 이들도 생겼다. 누군가 내 마음에 공감해 준다는 건 정말 큰 지지대가 되어준다. 글을 쓴다는 것 자체가 마음을 치료하는 행위가 되었다. 내가 쓴 글이 나를 쓰다듬어줬다. 나는 내가 살고 싶어서, 숨을 쉬고 싶어서 글을 쓴다.

글을 쓴다

-김소연-

말로 전하기 어려워 글을 쓴다.

속에 든 것을 꺼내야
나아진다던데.

꺼내기엔
너무 크고,
너무 깊고,
너무 거칠어,

말로 꺼내기 힘들어 글을 쓴다.

숨 쉬어 보자고
살아가 보자고
글을 쓴다.

7장. 마음 일기

나는 매일 저녁 마음 일기와 감사 일기를 쓰기 시작했다. 내가 시도해 본 것들 중에 가장 효과가 좋았던 방법이다. 가끔은 그림일기도 그렸다. 누구에게도 하지 못하는 말들을 나는 일기에 적기 시작했다. 사실 나의 일기는 하루를 소중히 눌러 적는다 하기보다 아무렇게 휘갈겨 쓴 쓰레기통이었다. 나는 그 일기장에다 내 마음 찌꺼기들을 쏟아버렸다. 다른 이들에게 피해가 갈까 봐 속에 담고 꺼내 놓지 못 했더니 마음 찌꺼기들이 썩어 악취가 났다. 나는 마음이 더 썩어 버리기 전에 일기장에 라도 찌꺼기들을 묻었다. 마침 정신병동에도 아침이 와요 드라마를 챙겨보고 있었는데, 우울증을 앓던 정다은 간호사(박보영 님)가 일기를 쓰는 장면들이 나왔다. 드라마를 보고 눈이 짓물러 아플 정도로 울고 난 후에 조금 눈물이 멎으니 나도 일기를 써 봐야겠다는 마음이 들었다. 처음에는 쓸 것이 없었다. 매일 같은 하루에 일기 쓸 일이 뭐가 있나 싶었다. 그래도 오늘은 잠을 조금 더 잤다. 밥을 챙겨 먹었다. 이런 것들로 일기를 짧게라도 쓰기 시작했다. 그러다 보니 매일 같게만 느껴지던 하루가 매일 다른 일들로 채워져 있다는 것을 알게 됐다. 처음엔 한두 줄로 간단히 쓰던 일기가 시간이 가다 보니 점차 길어졌다. 노하우도 제법 생겼다. 제법 길어진 일기를 세 단계로 나눠 적기 시작했다. 일어난 일에 대한 사실 자체, 그 일로 인해 파생된 생각들, 그 일에 대해 느꼈던 감정으로. 나는 하루 마지막에 이 작업을 하면서 나에 대해 객관적으로 보게 되었다. 너무나 속상하고 서러웠던 마음들이 사실은 그렇게 느낄 일까지는 아니었음을 깨닫게 되었다. 그러면 곧 마음도 차분해졌다.

사실 나를 객관적으로 보는 일은 쉽지 않다. 그래서 내가 쓰고 있는 방법을 하나 적어본다. 일단 첫 번째로는 글을 써 보는 것이다. 그것이 일기이든, 메모이든, 편지이든 어떤 글이든 중요하지 않다. 일단 써 보는 게 중요하다. 두 번째로는 표현법을 바꿔보는 방법을 추천한다. '나는 화가 났다' 같은 일인칭은 감정에 몰입이 잘되어서 내 생각에 빠져들기 쉽다. 조금 다르게 삼인칭으로 써보면서 조금씩 객관적으로 그 상황을 바라볼 수 있게 됐다. 처음에는 조금 어색하더라도 익숙해지면 도움이 된다. 나는 '나'라는 존재와 '내 마음'을 분리해 써 보는 연습을 했다. 나는 공책 앞면에 마음 일기라고 크게 적어놓고 이렇게 썼다.

2024.01.00일

1. 일어난 사실 자체: 오늘은 토요일 반 아이 케어를 맡아 머리를 말려줘야 해서 수영복을 입은 채로 드라이기를 썼다. 그래서 물이 좀 떨어졌는데 그걸 밟은 다른 회원님이 "아, 씨. 나 밟았어." 하더니 수건으로 발을 닦았다.

2. 파생된 생각들: 그 말이 굉장히 짜증 난다는 투로 들렸다. 뭔가 잘못했나 하는 생각이 들었고 이것도 일의 한 부분인데 어떻게 해? 하

는 생각이 들었다.

3. 감정: 그리고는 화가 좀 났다.

욱하는 느낌이 들었고, 더러운 것을 밟은 것처럼 얘기해서 짜증이 났다. 내가 더러운가?

4. 결과: 결국 기분이 나쁜 채로 일을 끝마쳤다. 근데 지금 적으면서 생각해 보니 그냥 하는 말일 수도 있겠다는 생각이 든다.

4. 객관화: 원래는 수영복을 벗고 물기를 닦은 후 나와야 하는 곳에서 일하는 입장이라 어쩔 수 없이 어린이반 케어를 위해 수영복을 입고 돌아다녔다. 물을 좀 흘렸고, 마른 발에 물을 밟게 된 회원님이 발을 닦았다.

하루를 쓰며 이런 과정을 거쳤다. 결과와 객관화에 이르면 마음이 차분히 가라앉는다. 사실은 그렇게까지 기분 나빴을 일이 아니었음을 깨닫는다. 그날의 상황이 이해되기 시작했다.

살아보자는 마음

-김소연-

저 달리는 차가
나를 치어주기를 바랐던 날이 있었지

저 깊은 물결이
나를 삼켜 주기를 바랐던 날이 있었지

저 밝게 뜬 해가
내일은 뜨지 않길 바랐던 날이 있었지

나이가 든다는 건 무슨 의미예요?
누군가 물었을 때,
나는 나이가 든다는 건 이겨낸 것이라고 했다.

물속 깊이 가라앉는 마음을,
내 것이 아닌 양 제멋대로 구는 마음을
나는 한 해 동안 매일 이겨낸 것이라고.

겨우내 떨던 가지에 새순이 돋듯,
다시 살아가 보자는 마음을

이번에도 이겨내 보자는 마음을 먹는다.

8장. 마음이 괴로운 당신에게도.

    우리는 마음이 너무너무 괴로울 때는 그걸 자각하지 못할 수도 있다. 내가 괴로운 건가, 아닌가 혼란스럽기도 하다. 갑작스럽게 울음이 나와 놀랄 수도 있고, 터진 울음이 멈추지 않아 곤란할 때도 있다. 나는 어느 날 빵을 너무 먹고 싶어 빵집에 갔다가 뭘 먹고 싶은지 알 수가 없어서 화가나 울음이 터진 적이 있다. 고작 그런 거로 울음이 나서 너무 당황스럽고 스스로가 한심스럽기도 했다. 만약에 당신에게도 비슷한 일이 있다면 꼭 곁의 누군가에게 말하면 좋겠다고 생각한다. 정확한 단어로 표현하지 못해도 괜찮고, 상대에게 완벽하게 전해지지 못하더라도. 말이 안 나온다면 글을 써서라도 누군가에게 "내 마음이 이래!" 하고 전해줬으면 좋겠다.

    원래 마음이란 게 그런 건가 싶다. 정확하게, 확실한 언어로 표현하기 모호해서 어렵다. 어렵게 용기 내어 꺼낸 마음이 받아들여지지 않은 것 같다 해도 겁먹지 않았으면 좋겠다. 혼자인 것 같다고 생각하지 않았으면 좋겠다. 분명 누군가는 당신의 마음에, 생각에 공감해 줄 테니까. 누군가는 당신을 반드시 지지해 줄 것이니까. 혼자만 이런 감정들을 느끼고 있는 게 아니란 말을 해주고 싶다.

    나도 혼란스럽고 괴로운 마음이 드는 것이 두려웠다. 왜 나만 이런가 싶어 외롭기도 했다. 다른 사람들이 이해하지 못한다는 생각이 들면 세상이 너무나도 춥게 느껴졌다. 그럴 때 이런 얘기를 얘기해줬다면 조금 안심이 되지 않았을까. 아니면 누군가의 이야기를 들었다면 내 마음이 그렇게까지 괴롭지 않았을지도 모른다.

사람들은 시간이 약이라고 하지만 약이 안 듣는 사람도 있다. 그럴 때면 우리는 그저 시간이 약이 되어 주길 기다리기보다 서로서로 이야기를 했으면 좋겠다. 편지를 주고받아도 좋고, 일기장에 마구 내 감정을 쏟아내도 좋다. 나는 가만히 앉아서 노래를 듣고 우는 일도 좋았고, 떠오르는 생각들을 꾹꾹 담아 시를 한 편 써도 좋았다. 어느 날은 스케치북에 의미 없이 색만 칠한 날도 있었다. 사람들이 생산적이지 않고 의미 없는 행동이라 몰아세워도, 그 일로 기분이 나아졌다면 당신에게 의미 없는 행동은 아니었을 것이다. 사람이 어떻게 늘 생산적이어야 한단 말인가.

병원에 다니면서 많이 들었던 말이 있다.
"울고 싶으면 우세요. 우는 것으로도 어느 정도 마음에 쌓인 것들을 내보낼 수 있거든요."

나는 한번 울면 서너 시간은 잠시도 멈추지 못하고 계속해서 울었다. 울고 나면 숨이 막힐 듯한 우울함이 조금 나아졌다. 우리는 너무 눈물을 삼키고 산다. 눈물이 나는 것이 내 흠이 되는 것도 아닌데.
간단히 치료할 수 있는 외상을 방치하면 덧나듯이 마음도 놔두면 병이 된다. 빗물이 고이듯 눈물도 고인다. 고인 눈물은 어느 순간 둑이 무너져 홍수가 나듯 탈이 난다. 모든 이들이 마음을 방치하지 않았으면 싶다. 나는 무조건 괜찮을 거란 말이나 시간이 약이라는 위로, 다들 이렇게 산다는 말들이 와닿지 않았다. 와 닿지 않았을뿐더러 오히려 이 말들이 아팠다. 괜찮지 않았고, 시간이 약이 되어주지도 못했으며, 다들 이렇게 산다는데 극복하지 못하는 자신이 한심스러워졌기 때문이다. 무조건적인 긍정도 도움이 되지 못했다. 그런 말 뒤에 나는 결국엔 다시 외로워졌다. 사람들이 차게만 느껴졌었다.

영하 10도가 넘는 추웠던 겨울날, 작은 편지하나 건네주겠다고 그 추운 바람을 뚫고 집 앞에 와준 친구가 있었다. 전해줄 건 작은 편지뿐이니 기대치 말라고 하더니. 그날 너무나 귀한 마음을 선물 받았다. 그 무엇보다도 크고 내게 꼭 필요한 선물이었다. 친구의 필체는 중학생 시절에서 크게 달라지지 않아서, 손으로 쓴 글씨들이 너무 정겨워 눈물이 났다.

추운 겨울 잘 보내고 있냐며 따뜻한 여름이 곧 올 테니 힘내자는 문장이 너무 따스해서 마음속 얼음이 녹는 기분이었다. 나는 늘 네 편이라는 말 한마디가 절벽에 매달려 있던 나를 끌어 일으켜준 것만 같았다.

삶이 매일 행복할 수는 없겠지만 불행도 있어 행복이 더 반짝일 수 있는 것일 테지. 매일 매일 맑은 날만 계속된다면 가물어 사막이 되고 말 것이다. 비가 오지 않으면 꽃도 새싹도 피지 않는다. 살면서 지금처럼 비가 많이 오는 시기가 있겠지만 곧 새로 싹이 틀 거라는 생각을 가지고 버텨내려 한다.

겨울에게

-김소연-

깊은 밤 편지를 쓴다.

해 마저 게으름 피우는 이 계절에
나는 나를 오롯이 되돌아봤다.

달님이 오래도록 자리를 지켜주어
긴 시간을 오롯이 생각에 잠겼다.

온갖 생명들이
태어났다 저무는 이 계절에
나는 긴 편지를 쓴다.

이 기억으로 또 열두 달을 써 내려 가겠지.

질문만 가득했던 올해의 편지에
내년에는 답장을 써주려나.

친구가 써 준 보물 같은 편지를 글 말미에 첨부합니다.

부디 이 글을 읽는 여러분에게도, 그리고 나에게도 이 겨울이 너무 길지 않았으면,

어서 싱그러운 여름이 찾아오길 하고 바랍니다.

소연아, 추운 겨울 잘 보내고 있어?

많이 추워도 절대 혼자가 아니야!

곧 따뜻한 여름이 올 거니까 우리 같이 힘내 보자!

항상 네 편이야 나는.

행복한 크리스마스 보내고! 올해 잘 마무리하길 바랄게!

사랑해, 소연아.

"한겨울에야 나는 내 안에 여름이 계속 도사리고 있음을 깨달았다."

-알베르 카뮈-

하고 싶은 말이 있습니다.

발행 2024년 5월 10일

지은이 강주완, 임나린, 하젤, 김소현, 백수빈, 김소연

라이팅리더 조주헌

디자인 윤소현

펴낸이 정원우

펴낸곳 글ego

출판등록 2019.06.21 (제2019-67호)

주소 서울시 강남구 강남대로 118길 24 3층

이메일 writing4ego@gmail.com

홈페이지 http://egowriting.com

인스타그램 @egowriting

ISBN 979-11-6666-481-6